S0-BDM-959

LA PREMIÈRE
GUERRE MONDIALE

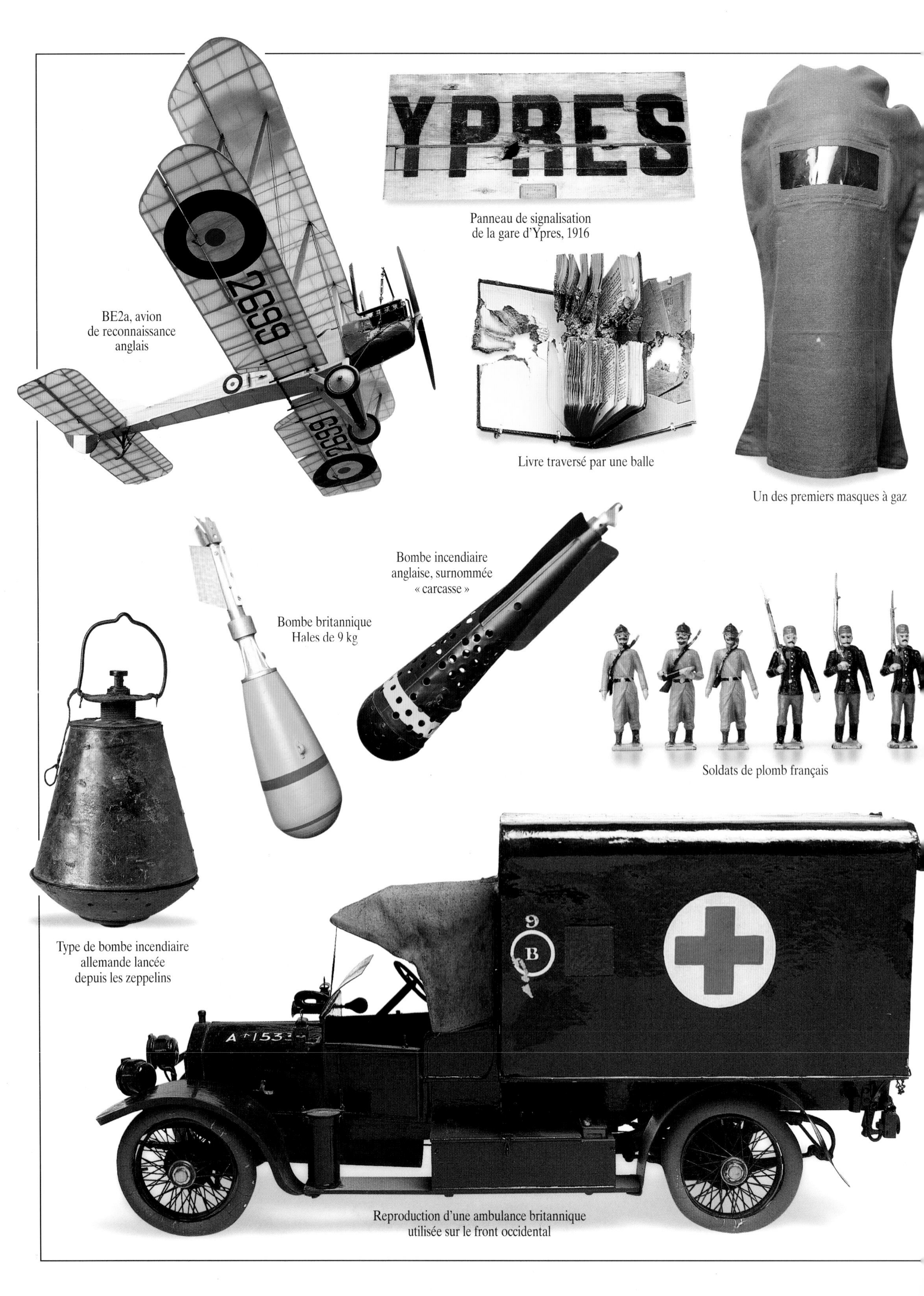

BE2a, avion de reconnaissance anglais

Panneau de signalisation de la gare d'Ypres, 1916

Livre traversé par une balle

Un des premiers masques à gaz

Bombe incendiaire anglaise, surnommée « carcasse »

Bombe britannique Hales de 9 kg

Soldats de plomb français

Type de bombe incendiaire allemande lancée depuis les zeppelins

Reproduction d'une ambulance britannique utilisée sur le front occidental

LA PREMIÈRE GUERRE MONDIALE

Croix de fer prussienne

Par
Simon Adams

Photographies originales
d'Andy Crawford

En association avec l'Imperial War Museum

Croix du Mérite américaine

Mitrailleuse anglaise, Maxim Mark III

Puzzle représentant une caricature de Herbert Asquith, Premier ministre britannique de 1908 à 1916

Figurine du grand duc Nicolas, commandant en chef des armées russes au début de la guerre

LES YEUX
DE LA DÉCOUVERTE
GALLIMARD

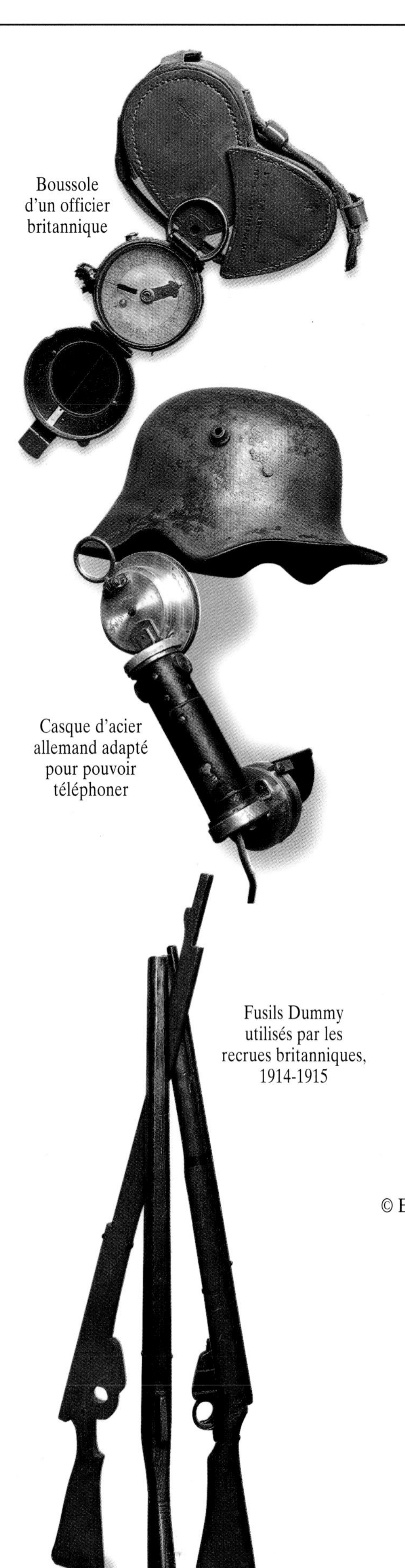

Boussole d'un officier britannique

Casque d'acier allemand adapté pour pouvoir téléphoner

Fusils Dummy utilisés par les recrues britanniques, 1914-1915

Comité éditorial

Londres :
Jayne Parsons, responsable éditoriale
Julia Harris, responsable artistique

Paris :
Christine Baker
et Eric Pierrat

Pour l'édition anglaise :
Edition :
Patricia Moss et Monica Byles
Maquettistes :
Rebecca Painter, Jane Tetzlaff,
Clare Shedden, Jacquie Gulliver,
Justine Eaton et Matthew Ibbotson
Fabrication : Kate Oliver
Iconographe : Sean Hunter

Edition française
traduite et adaptée
par Marie-Anne Tattevin
Edition :
Barbara Kekus, Octavo, Paris VIe
et Clotilde Grison
Relecture-spécialiste : Annette Becker,
Professeure d'histoire contemporaine,
Université Paris-X-Nanterre
Préparation : Isabelle Haffen
Correction : Claire Passignat-Gleize,
Lorène Bücher et Pierre Granet
Index : Pierre Granet
Montage PAO : Octavo
Flashage : IGS (16)
Maquette de couverture :
Raymond Stoffel
Photogravure de couverture : IGS (16)

ISBN 2-07-054954-2
La conception de cette collection est le fruit
d'une collaboration entre les Editions Gallimard
et Dorling Kindersley

Loi n° 49-956 du 16 juillet 1949
sur les publications destinées à la jeunesse
Pour les pages 64 à 71 :

Edition française des pages 64 à 71 :

Traduction : Cécile Giroldi
Edition : Clotilde Oussiali
Relecture-spécialiste : Annette Becker
Préparation : Isabelle Haffen
Correction : Lorène Bücher
Flashage : IGS (16)

1er dépôt légal : septembre 2002
Dépôt légal : juin 2005
N° d'édition : 136647

Photogravure : Colourscan, Singapour
Imprimé en Chine par Toppan Printing Co. (Shenzen) Ltd

Croix de guerre française, médaille de bravoure

Barbelés anglais et allemands

Casque britannique à visière en mailles métalliques

Grenade

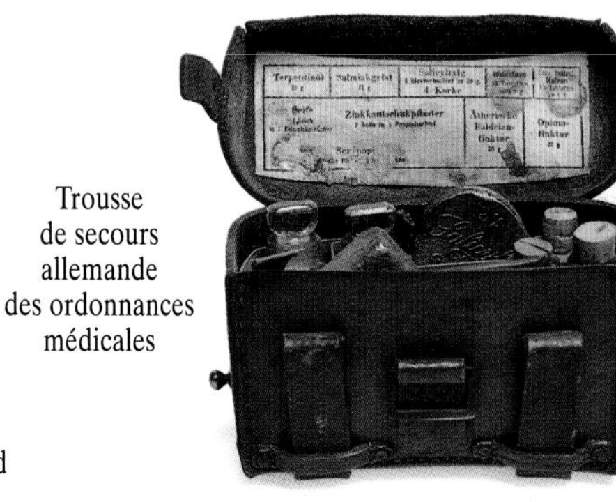

Trousse de secours allemande des ordonnances médicales

SOMMAIRE

Obus bourrés d'explosifs

LES GRANDES PUISSANCES EUROPÉENNES S'OPPOSENT

Au début du XXe siècle, l'hostilité entre les grands pays d'Europe allait croissant. La Grande-Bretagne, la France et l'Allemagne étaient en proie à de multiples rivalités coloniales, l'Autriche-Hongrie et la Russie cherchaient à assurer leur emprise sur les Balkans, dans le sud-est de l'Europe. La tension entre l'Allemagne et l'Autriche-Hongrie, d'un côté, la France et la Russie, de l'autre, conduisit à la formation d'alliances militaires puissantes. La course aux armements navals ajoutait à cette tension. En 1912-1913, deux guerres éclatèrent dans les Balkans. Si, en 1914, la tension politique était grande en Europe, juillet fut cependant un mois d'été ordinaire.

LE HMS « DREADNOUGHT »
Le lancement du HMS *Dreadnought,* en février 1906, révolutionna la conception des navires de combat. Avec ses 10 canons de 305 mm et une vitesse de pointe de 21 nœuds, ce navire britannique surpassait tous ses concurrents. L'Allemagne, la France et les autres nations maritimes décidèrent alors de construire leurs propres *Dreadnoughts.* Ce fut le début de la course aux armements navals.

LE KAISER GUILLAUME II
Guillaume II, roi de Prusse, prit la tête de l'Empire allemand en 1888, à l'âge de 29 ans. Doté d'une forte personnalité, il avait pour l'Allemagne des ambitions mondiales. Mais sa politique agressive et son comportement arrogant irritaient les autres nations d'Europe, surtout la Grande-Bretagne et la France.

Certains enfants possédaient des maquettes du HMS Dreadnought. *Ils en connaissaient par cœur les moindres détails.*

Maquette de navire de guerre en fer-blanc peint à la main

LES RIVALITÉS EN EUROPE

En 1882, l'Allemagne, l'Autriche-Hongrie et l'Italie signèrent la Triple-Alliance pour s'assister mutuellement en cas de conflit. Alarmées, la France et la Russie formèrent une Alliance en 1894. L'Entente cordiale, signée par la France et la Grande-Bretagne en 1904, devint la Triple-Entente en 1907, avec l'adhésion de la Russie. Pendant la guerre, la Serbie, le Monténégro, la Belgique, la Roumanie, le Portugal et la Grèce rejoignirent l'Entente, alors que la Bulgarie et la Turquie se rangeaient dans le camp de l'Allemagne et de l'Autriche-Hongrie, les Empires centraux. L'Italie rejoignit l'Entente en 1915.

UNE AFFAIRE DE FAMILLE ?

Malgré leur grande ressemblance physique, George V et le tsar Nicolas II n'avaient pas de lien de parenté. Mais l'épouse de Nicolas, Alexandra, était une cousine de George V, tout comme l'empereur allemand Guillaume II, son cousin.

Nicolas II, tsar de Russie

George V d'Angleterre

LA FLOTTE ALLEMANDE

En 1898, l'Allemagne se lança dans un ambitieux programme pour contrecarrer la puissance navale de la *Royal Navy* britannique. Tandis que les amiraux allemands commandaient ces navires de combat dans la Baltique et la mer du Nord, les enfants jouaient dans leur bain avec des maquettes de bateaux en fer-blanc.

LE CŒUR DU POUVOIR

Cette usine d'armement située dans la vallée de la Ruhr en Allemagne appartenait à Alfred Krupp. La famille Krupp était le premier fabricant d'armes au monde. En 1871, lors de son unification, l'Allemagne était avant tout une nation agricole. Trente ans plus tard, la sidérurgie, les mines, les aciéries, les industries mécaniques et navales en faisaient la troisième puissance industrielle mondiale, derrière les Etats-Unis et la Grande-Bretagne.

LES ASSASSINS
Gavrilo Princip, ci-dessus à droite, auteur du coup de feu fatal à l'archiduc François-Ferdinand, était membre de « La Main noire » qui revendiquait le rattachement de la Bosnie à la Serbie.

LA GUERRE ÉCLATE

Le 28 juin 1914, l'héritier du trône austro-hongrois, l'archiduc François-Ferdinand, fut assassiné à Sarajevo, en Bosnie. Intégrée à l'Autriche-Hongrie depuis 1908, la Bosnie était revendiquée par la Serbie voisine à laquelle l'Autriche-Hongrie déclara la guerre le 28 juillet. La troisième guerre des Balkans s'étendit rapidement à toute l'Europe. La Russie défendit la Serbie soutenue par son alliée la France. Le 4 août, l'Allemagne alliée à l'Autriche-Hongrie envahit la Belgique, pays neutre, pour attaquer la France. La Grande-Bretagne, garante de la neutralité de la Belgique, déclara à son tour la guerre à l'Allemagne. Chacune des nations se sentit agressée et réagit par la force. L'engrenage entraîna toute l'Europe dans la guerre.

L'ORDRE DE MOBILISATION GÉNÉRALE
En juillet 1914, des affiches furent placardées dans tous les pays qui se préparaient à la guerre informant les citoyens que leur armée était mobilisée. Tous les hommes appartenant aux forces régulières et de réserve devaient alors rejoindre leur unité.

L'ALLEMAGNE RÉSOLUE
Les photographies de propagande montraient avant tout l'enthousiasme. Dans les villes, de nombreux civils s'engagèrent pour soutenir le Kaiser et leur pays. Dans les campagnes, les réactions étaient plus mitigées.

L'ARMÉE AUSTRO-HONGROISE
L'Empire austro-hongrois disposait de trois armées : l'autrichienne, la hongroise et l'« armée commune ». Si la langue officielle était l'allemand, les officiers devaient apprendre la langue de leurs hommes, et les problèmes de communication étaient nombreux car on n'y parlait pas moins de dix langues. La complexité de l'armée était à l'image de l'empire, une double monarchie avec un seul souverain.

Reiter (cavalier) austro-hongrois du 8e régiment *Uhlan* (lanciers)

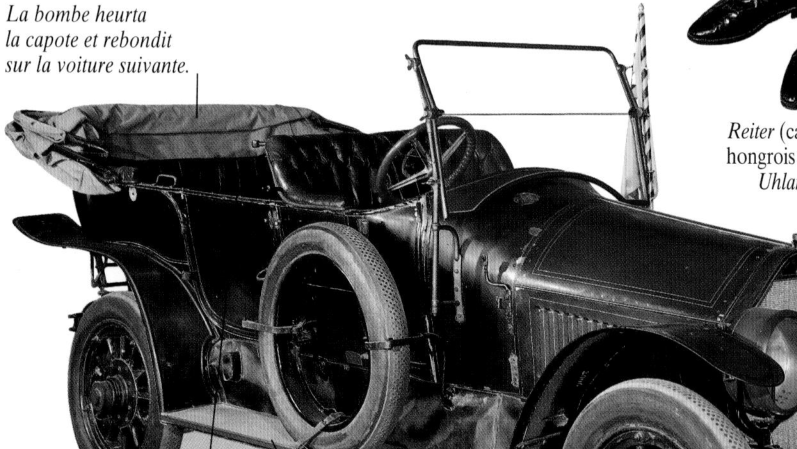

La bombe heurta la capote et rebondit sur la voiture suivante.

L'archiduc et sa femme Sophie étaient assis à l'arrière de cette voiture décapotable.

Princip s'approcha pour tirer depuis le marchepied.

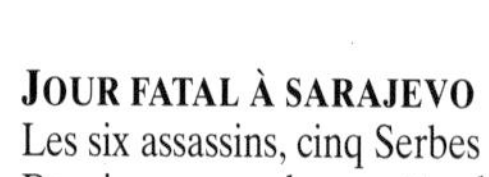

JOUR FATAL À SARAJEVO
Les six assassins, cinq Serbes et un Bosniaque musulman, attendaient l'archiduc Ferdinand sur le chemin de la résidence du gouverneur de Sarajevo. L'un d'eux lança une bombe sur la voiture de l'archiduc mais elle rebondit pour exploser sur le véhicule suivant, blessant deux officiers. Trois quarts d'heure plus tard, l'archiduc et son épouse se rendaient à l'hôpital pour voir les officiers blessés. Leur voiture fut déviée de son parcours normal et Gavrilo Princip sortit de la foule pour tirer sur le couple. L'archiduchesse mourut sur le coup, son mari dix minutes après.

28 juin Assassinat de l'archiduc François-Ferdinand à Sarajevo.
5 juillet L'Allemagne assure l'Autriche-Hongrie, son alliée, de son soutien pour toute action contre la Serbie.
23 juillet L'Autriche adresse un ultimatum à la Serbie : elle doit renoncer à son indépendance.
25 juillet La Serbie accepte presque entièrement l'ultimatum austro-hongrois, mais elle maintient la mobilisation à titre de précaution.
28 juillet L'Autriche-Hongrie, ignorant le désir de la Serbie de trouver une solution pacifique, lui déclare la guerre.
30 juillet La Russie mobilise ses troupes pour aider son alliée, la Serbie.
31 juillet L'Allemagne demande à la Russie de mettre fin à la mobilisation.

Bekanntmachung.

Mobilmachung befohlen.

Erster Mobilmachungstag, der 2. August

Vorstehender Allerhöchster Befehl wird hierdurch öffentlich bekannt gemacht.

Berlin, den 1. August 1914.

Der Oberbürgermeister
Wermuth.

ARMÉE DE TERRE ET ARMÉE DE MER

ORDRE
DE MOBILISATION GÉNÉRALE

Par décret du Président de la République, la mobilisation des armées de terre et de mer est ordonnée, ainsi que la réquisition des animaux, voitures et harnais nécessaires au complément de ces armées.

Le premier jour de la mobilisation est le Dimanche deux Août 1914

Ordres de mobilisation allemand (ci-dessus) et français (à droite)

En voiture !
Les slogans allemands sur ce wagon en partance pour l'ouest, tels « Excursion à Paris », « A bientôt sur le Boulevard », montrent que pour ces soldats, l'offensive devait les mener directement à Paris. Les trains français partant vers l'Allemagne portaient des slogans semblables concernant Berlin. Pourtant, malgré ces slogans, on partait sans enthousiasme mais résolu, dans l'espoir d'une guerre courte.

« Les hommes pour la plupart n'étaient pas gais ; ils étaient résolus, ce qui vaut mieux »

Marc Bloch, historien français

er août L'Allemagne déclare la guerre la Russie. La France se mobilise pour ider son alliée, la Russie. L'Allemagne igne un traité avec l'Empire ottoman. 'Italie se déclare neutre.
2 août L'Allemagne envahit le Luxembourg et demande le droit de passer par la Belgique, neutre, qui refuse.
3 août L'Allemagne déclare la guerre à la France.
4 août L'Allemagne envahit la Belgique pour attaquer la France. La Grande-Bretagne entre en guerre pour défendre la neutralité belge.
6 août L'Autriche-Hongrie déclare la guerre à la Russie.
12 août La France et la Grande-Bretagne déclarent la guerre à l'Autriche-Hongrie.

LES GÂTEAUX DE NOËL
Pour Noël 1914, l'Association territoriale de Londres envoya à chacun de ses soldats un pudding, gâteau traditionnel. D'autres soldats reçurent des cadeaux au nom de la princesse Mary, fille du roi George V.

LES OPÉRATIONS À L'OUEST

L'Allemagne redoutait de devoir se battre sur deux fronts – à l'est et à l'ouest. En 1905, le chef de l'état-major allemand, le feld-maréchal comte Alfred von Schlieffen, mit au point un plan audacieux pour éliminer rapidement la France du conflit avant d'affronter la Russie. Pour cela, les armées allemandes devaient traverser la Belgique, pays neutre. En août 1914, c'est ce plan qui fut appliqué. Les troupes allemandes passèrent la frontière belge le 4 août et, à la fin du mois, elles envahirent la France. Le plan Schlieffen prévoyait de traverser rapidement le Nord vers Paris, mais le nouveau chef de l'état-major allemand, le général Moltke, modifia le projet et, en une manœuvre tournante, exposa son flanc droit. Lors de la bataille de la Marne, le 6 septembre, l'avancée allemande fut arrêtée et les forces du général Moltke furent repoussées. Chacun tenta alors de contourner l'autre en remontant vers la mer du Nord : ce fut la « course à la mer ». À Noël 1914, les deux armées étaient bloquées, face à face, sur une ligne allant de la côte belge, au nord-ouest, à la frontière suisse, au sud-est.

LA RETRAITE
L'armée belge, peu nombreuse et inexpérimentée, ne put résister à l'invasion allemande malgré sa ténacité. Les soldats se replièrent vers Anvers, les mitrailleuses étaient tractées par des chiens.

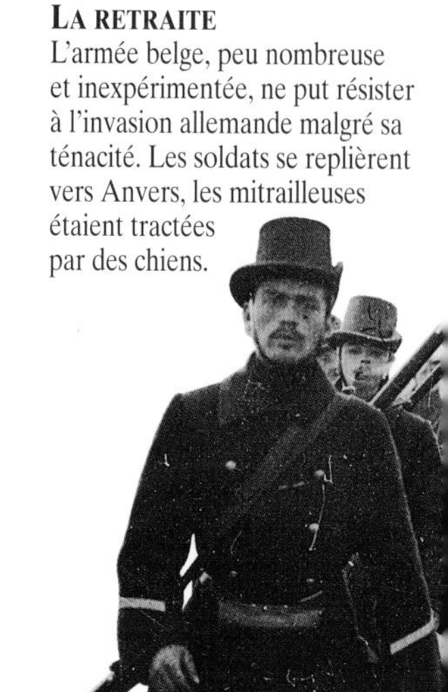

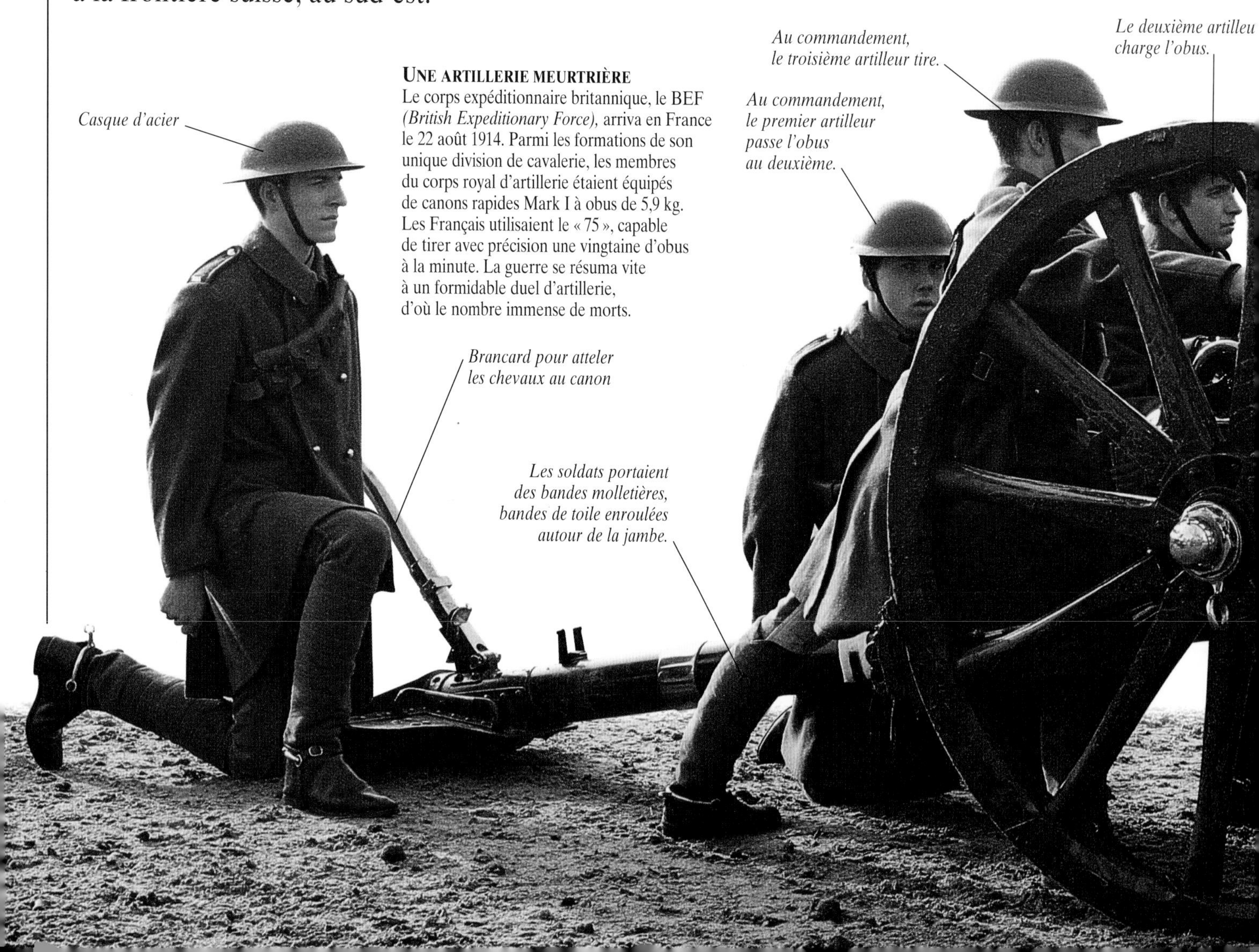
Casque d'acier
Brancard pour atteler les chevaux au canon
Les soldats portaient des bandes molletières, bandes de toile enroulées autour de la jambe.
Au commandement, le troisième artilleur tire.
Au commandement, le premier artilleur passe l'obus au deuxième.
Le deuxième artilleu charge l'obus.

UNE ARTILLERIE MEURTRIÈRE
Le corps expéditionnaire britannique, le BEF *(British Expeditionary Force)*, arriva en France le 22 août 1914. Parmi les formations de son unique division de cavalerie, les membres du corps royal d'artillerie étaient équipés de canons rapides Mark I à obus de 5,9 kg. Les Français utilisaient le « 75 », capable de tirer avec précision une vingtaine d'obus à la minute. La guerre se résuma vite à un formidable duel d'artillerie, d'où le nombre immense de morts.

LA TRÊVE DE NOËL

Le soir de Noël 1914, les soldats des deux côtés du front ouest entonnèrent des cantiques pour se saluer fraternellement. Le lendemain, une trêve fut observée sur les deux tiers de la ligne. Près du bois de Poegsteert, au sud d'Ypres, en Belgique, un match de football opposa les membres du Régiment royal saxon (Allemagne) aux *Highlanders* de Seaforth (Ecosse). Les Allemands gagnèrent 3 à 2. Dans certains endroits, la trêve dura près d'une semaine. Mais l'année suivante, les sentinelles des deux bords reçurent l'ordre de tirer sur quiconque tenterait de traverser les lignes. Cette trêve n'a eu dans la réalité pratiquement pas d'importance. C'est seulement après la guerre que les anciens combattants, culpabilisés par la tragédie, en ont beaucoup parlé.

I told mother about our palling up with the Germans on Christmas day. It was most amusing & so utterly out of keeping with the rest of the show that one can hardly realise it happened.

Christmas eve. Got 'im!

Christmas day.

The above is exactly — lies — what happened; but I'll tell you all about it when I see you. I haven't seen anything in the papers about it yet

Soldat tirant sur l'ennemi : « C'est le soir de Noël – Tuez-les ! »

Les soldats anglais et allemands se saluent le jour de Noël.

Tranchée allemande

TÉMOIGNAGE

Dans une lettre à sa famille, le capitaine E. R. P. Berryman, du 2e bataillon des 39e fusiliers de Garwhal, décrit la trêve. Il raconte que les Allemands ont mis des sapins de Noël dans leurs tranchées. Ce dessin illustre l'absurdité de la situation : tirer sur l'ennemi un jour et le saluer comme un ami le lendemain.

Une corde est enroulée autour du mécanisme de recul.

Ce canon tire des obus de 5,9 kg à une distance de 5 395 m.

LES TAXIS DE LA MARNE

Après avoir traversé le nord de la France à vive allure, les troupes allemandes atteignirent les bords de la Marne, à 40 km à l'est de Paris, début septembre. Le général Gallieni, gouverneur militaire de Paris, réquisitionna 600 taxis pour transporter 6000 hommes vers le front, afin de porter secours à la VIe armée française.

LES SOLDATS

La guerre bouleversa la vie de millions d'hommes. Soldats réguliers, réservistes plus âgés, recrues volontaires et conscrits enrôlés, tous furent pris dans la tourmente. Si certains avaient l'expérience de l'armée, beaucoup n'avaient jamais tenu un fusil de leur vie. Outre les forces européennes, la Grande-Bretagne et la France firent massivement appel à leurs empires coloniaux soit pour travailler, soit pour se battre. L'aspect et les détails des uniformes étaient très variés mais, bientôt, les couleurs vives cédèrent la place à des teintes plus discrètes : kaki, bleu horizon et gris.

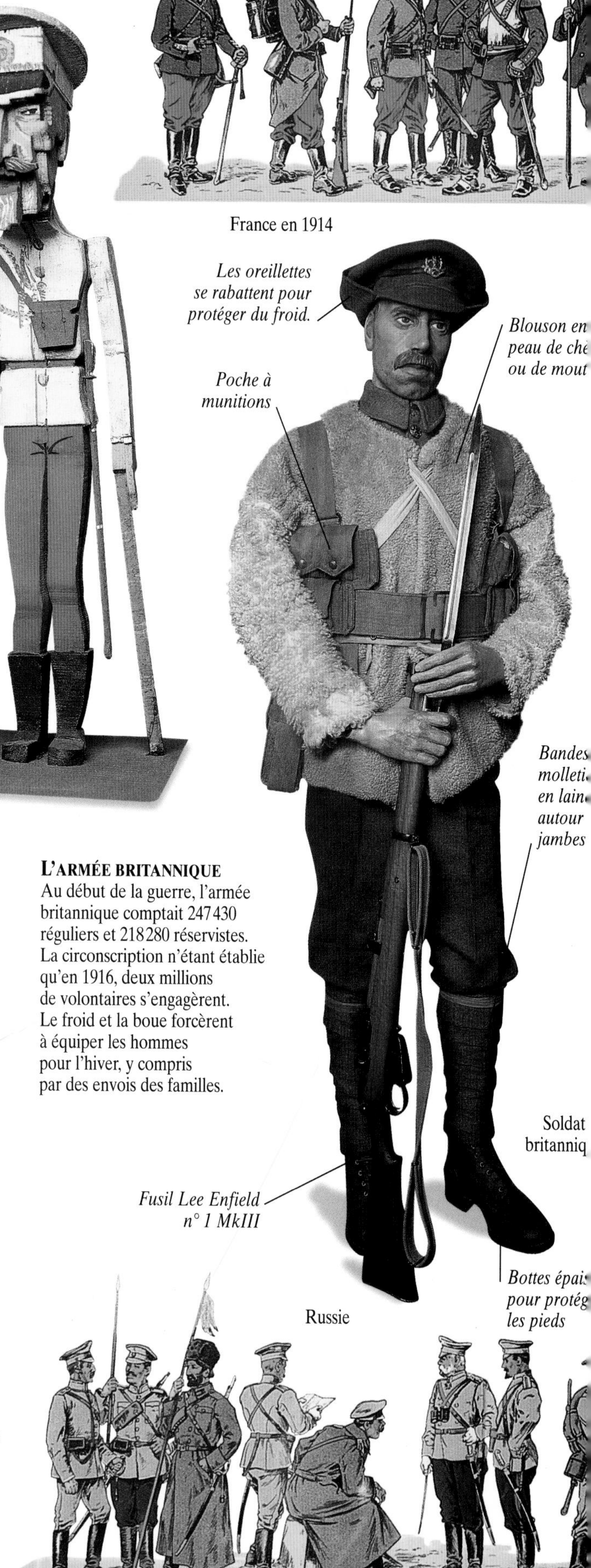

LE GRAND-DUC NICOLAS
Au début de la guerre, l'armée russe était commandée par le grand-duc Nicolas, oncle du tsar Nicolas II. En août 1915, le tsar démit son oncle de ses fonctions et prit lui-même la direction des armées. En qualité de commandant en chef, le tsar définissait la stratégie à appliquer. Chaque armée russe était sous les ordres d'un général qui dirigeait la bataille. Les autres pays avaient un système hiérarchique comparable.

L'ARMÉE BRITANNIQUE
Au début de la guerre, l'armée britannique comptait 247 430 réguliers et 218 280 réservistes. La circonscription n'étant établie qu'en 1916, deux millions de volontaires s'engagèrent. Le froid et la boue forcèrent à équiper les hommes pour l'hiver, y compris par des envois des familles.

LES TROUPES COLONIALES
Les armées britannique et française comptaient un grand nombre de recrues venues des colonies d'Afrique, d'Asie, du Pacifique et des Antilles. De plus, les dominions britanniques d'Australie, de Nouvelle-Zélande, du Canada et d'Afrique du Sud envoyèrent leurs propres armées pour prendre part au conflit. Parmi ces soldats, beaucoup n'avaient jamais quitté leur pays. Ces Annamites (Indochinois) étaient basés avec l'armée française à Salonique, en Grèce, en 1916.

LES ALLIÉS DE L'EST
En Europe de l'Est, l'Allemagne dut affronter la grande armée russe, ainsi que de plus petites armées, comme celle de la Serbie et du Monténégro. En Extrême-Orient, les colonies allemandes de Chine et du Pacifique furent envahies par le Japon. Ces illustrations proviennent d'une affiche montrant les ennemis de l'Allemagne.

LES ALLIÉS
En Europe de l'Ouest, la Grande-Bretagne, la France et la Belgique étaient alliées contre l'Allemagne.

L'ARMÉE FRANÇAISE
En 1914, l'armée française était l'une des plus grandes d'Europe, avec quelque 3680000 hommes préparés à la guerre, en comptant les réservistes et les troupes coloniales. Dans toutes les armées, les nouvelles conditions de la guerre firent évoluer l'uniforme : bleu horizon en France et casques d'acier.

Fantassins (soldats d'infanterie) français, photographiés en 1918

Fantassin français, surnommé « poilu » à partir de 1915

L'ARMÉE ALLEMANDE
L'armée allemande était la plus puissante d'Europe. Au début de la guerre, elle comptait 840000 soldats. Tous les hommes de moins de 45 ans avaient suivi une préparation militaire et appartenaient à l'armée de réserve. En comptant tous les réservistes, l'armée allemande pouvait réunir plus de quatre millions d'hommes entraînés.

Soldat allemand

Le volontariat et la conscription

Lorsque la guerre éclata, chaque pays d'Europe disposait d'une armée de conscription, hormis la Grande-Bretagne, dont les troupes se composaient uniquement de volontaires. Le 6 août 1914, le ministre de la Guerre, lord Kitchener, lança un appel pour recruter 100000 soldats ; deux millions se présentèrent avant la fin 1915. La plupart des volontaires britanniques, comme les Français et les Allemands, pensaient que tout serait fini pour Noël.

Chef de guerre
Le Premier ministre britannique Herbert Asquith, caricaturé comme « le dernier des Romains », fut remplacé par David Lloyd George en décembre 1916.

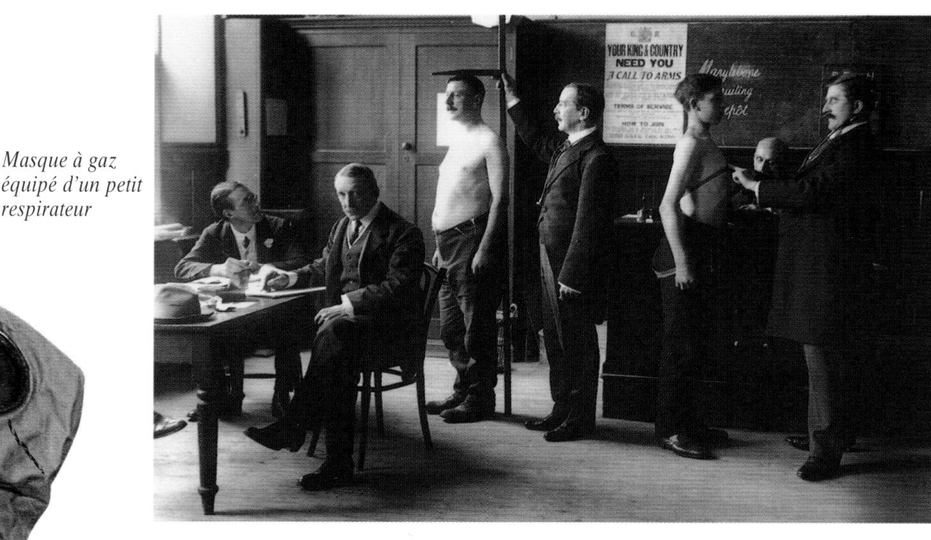

Le conseil de révision
Chaque nouvelle recrue était soumise à un examen médical pour vérifier son aptitude au combat. Beaucoup étaient recalés, en raison d'une mauvaise vue, de troubles respiratoires ou d'un mauvais état de santé général. D'autres étaient refusés car ils n'avaient pas 19 ans, même si beaucoup mentaient sur leur âge. Après les tests, les recrues devaient prêter serment de loyauté à Sa Majesté le roi, puis ils étaient intégrés dans l'armée.

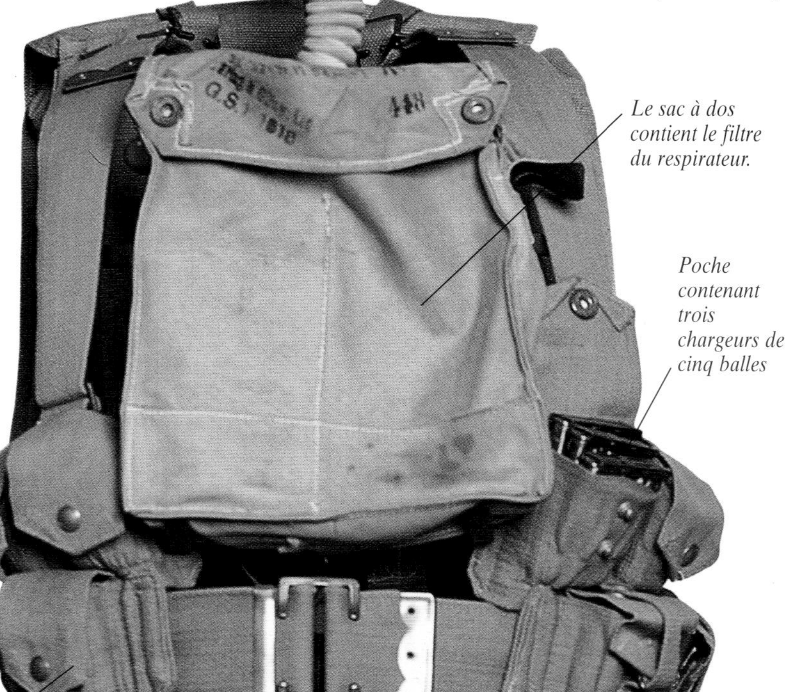

Masque à gaz équipé d'un petit respirateur

Le sac à dos contient le filtre du respirateur.

Poche contenant trois chargeurs de cinq balles

Deux jeux de cinq poches à munition dans la

Pour l'amour du roi et de la patrie
A l'annonce de la guerre, de longues queues se formèrent autour des bureaux de recrutement dans toute l'Angleterre. Les hommes d'un même quartier ou d'une même usine se regroupaient pour former les « bataillons de copains », afin de se battre ensemble. Mais les volontaires ne furent pas assez nombreux pour regarnir les troupes décimées. En janvier 1916, la conscription fut lancée pour

« YOUR COUNTRY NEEDS YOU »

« Votre pays a besoin de vous »
Un portrait du général Kitchener orne cette affiche de recrutement. Lorsqu'elle parut, en septembre 1914, beaucoup s'étaient déjà portés volontaires

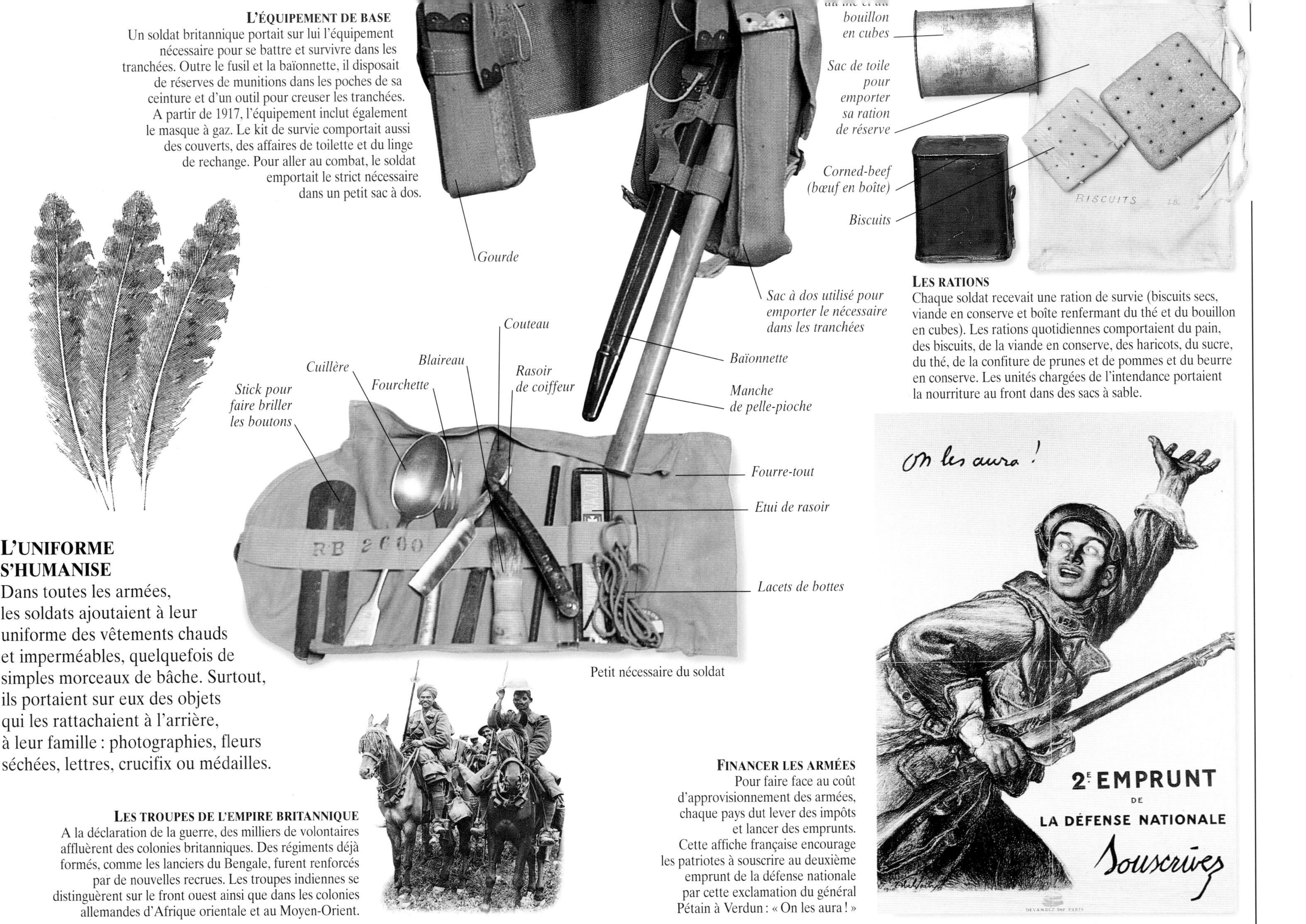

L'ÉQUIPEMENT DE BASE
Un soldat britannique portait sur lui l'équipement nécessaire pour se battre et survivre dans les tranchées. Outre le fusil et la baïonnette, il disposait de réserves de munitions dans les poches de sa ceinture et d'un outil pour creuser les tranchées. A partir de 1917, l'équipement inclut également le masque à gaz. Le kit de survie comportait aussi des couverts, des affaires de toilette et du linge de rechange. Pour aller au combat, le soldat emportait le strict nécessaire dans un petit sac à dos.

LES RATIONS
Chaque soldat recevait une ration de survie (biscuits secs, viande en conserve et boîte renfermant du thé et du bouillon en cubes). Les rations quotidiennes comportaient du pain, des biscuits, de la viande en conserve, des haricots, du sucre, du thé, de la confiture de prunes et de pommes et du beurre en conserve. Les unités chargées de l'intendance portaient la nourriture au front dans des sacs à sable.

Petit nécessaire du soldat

L'UNIFORME S'HUMANISE

Dans toutes les armées, les soldats ajoutaient à leur uniforme des vêtements chauds et imperméables, quelquefois de simples morceaux de bâche. Surtout, ils portaient sur eux des objets qui les rattachaient à l'arrière, à leur famille : photographies, fleurs séchées, lettres, crucifix ou médailles.

LES TROUPES DE L'EMPIRE BRITANNIQUE
A la déclaration de la guerre, des milliers de volontaires affluèrent des colonies britanniques. Des régiments déjà formés, comme les lanciers du Bengale, furent renforcés par de nouvelles recrues. Les troupes indiennes se distinguèrent sur le front ouest ainsi que dans les colonies allemandes d'Afrique orientale et au Moyen-Orient.

FINANCER LES ARMÉES
Pour faire face au coût d'approvisionnement des armées, chaque pays dut lever des impôts et lancer des emprunts. Cette affiche française encourage les patriotes à souscrire au deuxième emprunt de la défense nationale par cette exclamation du général Pétain à Verdun : « On les aura ! »

Ypres
Passendale
Belgique
Allemagne
La Somme
Amiens
Luxembourg
La Marne
Paris
Verdun
France

La ligne de front

La ligne de front
En décembre 1914, le réseau de tranchées s'étendait depuis la côte belge jusqu'à la frontière suisse, en passant par l'est de la France, sur 645 km. En 1917, on pouvait théoriquement franchir toute cette distance en restant dans les tranchées.

La construction des tranchées

Au début des hostilités, les deux adversaires en présence sur le front ouest étaient préparés à une guerre de mouvement, avec des manœuvres importantes sur des centaines de kilomètres, des batailles rapides, des avancées et des retraites. Personne ne s'attendait à une guerre de position entre deux armées bloquées face à face. Or, si l'on arriva à cette impasse, ce fut en grande partie parce que les canons à longue portée et les mitrailleuses rapides étaient trop dangereux pour un combat à découvert. Il apparut que la seule façon de survivre face à cet armement était de se terrer dans des tranchées défensives.

Etu
à pel

Des pelles de survie
Chaque soldat portait une pelle afin de pouvoir creuser un fossé pour se protéger s'il était pris sous le feu ennemi. Cette pelle servait également à consolider les tranchées mises à mal par les bombardements.

Pelle américaine M1910

Les premières tranchées
Les premières tranchées étaient des sillons profonds offrant un abri succinct devant le feu de l'ennemi. Le 2e régiment de Gardes écossais a creusé cette tranchée près d'Ypres en octobre 1914. Pour les généraux, ce n'était qu'une solution provisoire, la guerre « normale » de mouvement devant reprendre au printemps.

Les pancartes
Dans les tranchées, les pancartes renseignaient les solda pour les guider durant attaques. Cette tranch était surnommée « La vallée de la mort »

Où creuser ?
Au début de la guerre, il n'y avait pas d'experts en tranchées. Au fil des erreurs, la technique s'améliora. Les Allemands, qui étaient hors de leur pays, choisirent des emplacements d'où ils pouvaient bien observer et tirer sur l'ennemi. Les Français et les Anglais essayèrent de reprendre autant de terrain que possible avant de creuser leurs tranchées.

'ÉTAYAGE
'un des principaux risques des tranchées était l'éboulement. Durant
été 1915, de nombreuses tranchées allemandes furent renforcées par
es étayages de bois afin d'éviter ce risque. Elles furent aussi creusées
us profondément pour mieux protéger les hommes des bombardements.

E CONFORT SOUS TERRE
es Allemands construisirent des tranchées très élaborées, bétonnées,
rtaines ayant des fenêtres avec des volets. Les Allemands s'installaient
r ils occupaient un territoire ennemi et appréciaient cette guerre
nmobile. D'une certaine façon, leurs hommes vivaient mieux
ue ceux des Alliés dont les tranchées étaient beaucoup
us sommaires, car provisoires, l'objectif étant
e reconquérir les territoires occupés.

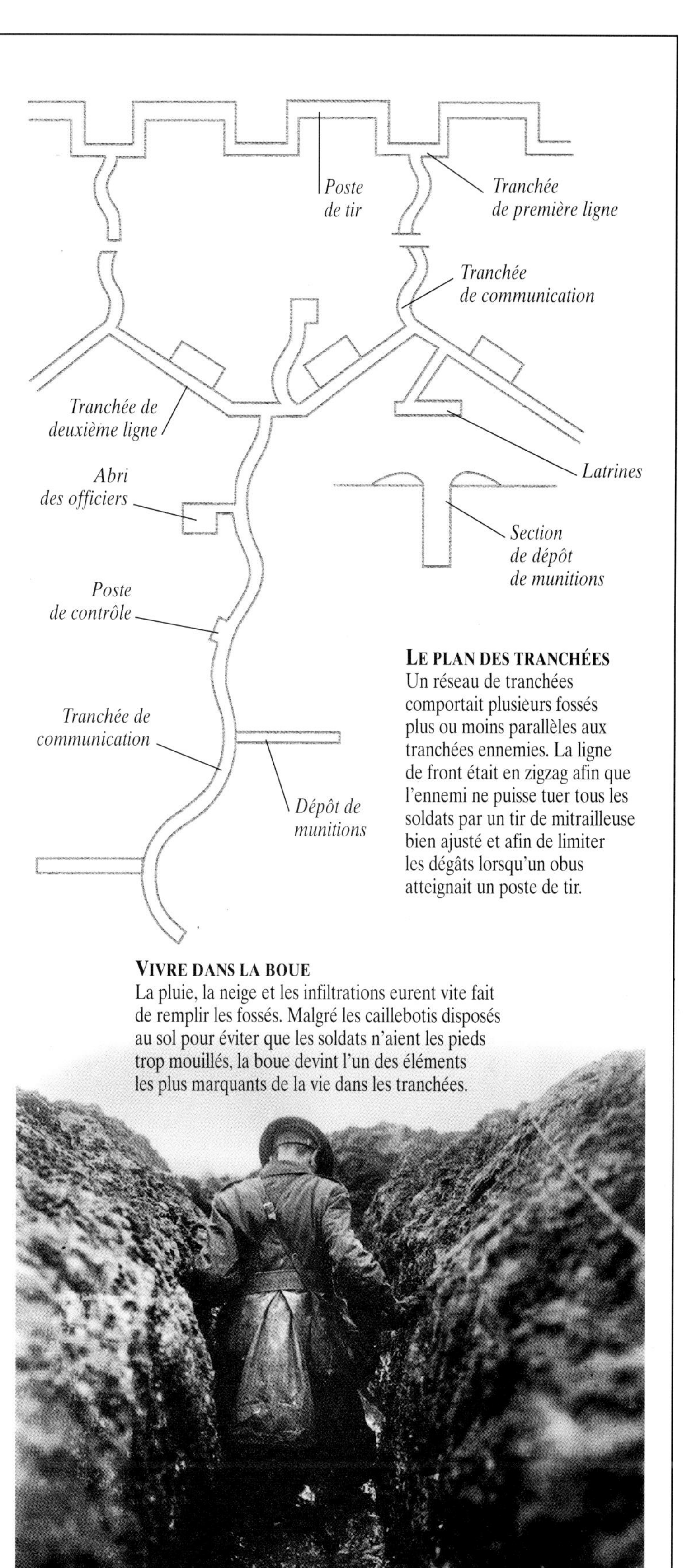

LE PLAN DES TRANCHÉES
Un réseau de tranchées comportait plusieurs fossés plus ou moins parallèles aux tranchées ennemies. La ligne de front était en zigzag afin que l'ennemi ne puisse tuer tous les soldats par un tir de mitrailleuse bien ajusté et afin de limiter les dégâts lorsqu'un obus atteignait un poste de tir.

VIVRE DANS LA BOUE
La pluie, la neige et les infiltrations eurent vite fait de remplir les fossés. Malgré les caillebotis disposés au sol pour éviter que les soldats n'aient les pieds trop mouillés, la boue devint l'un des éléments les plus marquants de la vie dans les tranchées.

La vie dans les tranchées

Dans la journée, la vie dans les tranchées oscillait entre de courtes périodes de peur intense, sous les tirs ennemis, et de longs moments d'ennui. La majeure partie du travail était accomplie la nuit : des patrouilles sortaient pour observer, lancer des raids dans les tranchées adverses, réparer les parapets et autres ouvrages défensifs de la ligne de front. Le crépuscule et l'aube étant les meilleurs moments pour lancer une attaque, les hommes devaient alors être aux aguets et les postes de tir prêts à répliquer. Le jour, les soldats essayaient de se reposer tandis que les sentinelles surveillaient les lignes ennemies. Beaucoup écrivaient à leur famille ou tenaient un journal. Les repas n'étaient pas servis à heures fixes, les soldats mangeaient lorsque l'intendance parvenait à leur porter la nourriture. Pour éviter la démoralisation, les soldats passaient de sept à dix jours en première ligne, puis regagnaient les lignes de réserve, et enfin les cantonnements de repos où ils pouvaient se laver et avoir des vêtements de rechange avant de retourner dans les tranchées.

Un petit abri
Les tranchées étaient souvent très étroites et exposées aux intempéries. Ces soldats canadiens ont construit un abri de fortune en empilant des sacs de sable en guise de parois.

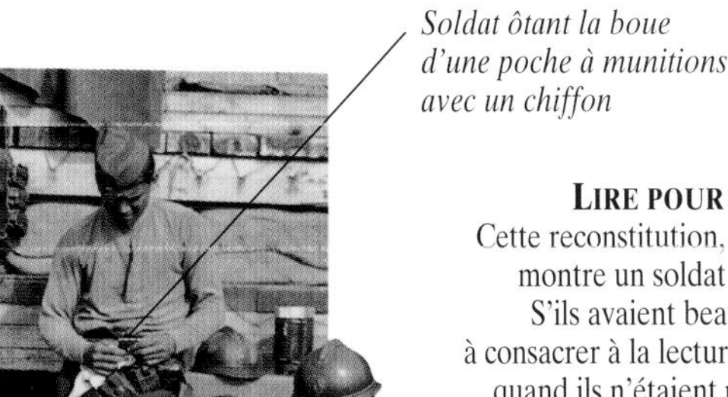

Soldat ôtant la boue d'une poche à munitions avec un chiffon

L'entretien du matériel
Le nettoyage de l'équipement et le graissage des bottes étaient une activité quotidienne en dehors des premières lignes. Ces soldats belges nettoient leur fusil avec beaucoup de soin : leur efficacité au combat dépend du bon fonctionnement de leur arme.

Lire pour se détendre
Cette reconstitution, dans un musée, montre un soldat en train de lire. S'ils avaient beaucoup de temps à consacrer à la lecture ou à l'écriture quand ils n'étaient pas en première ligne, les soldats étaient souvent interrompus par les tâches militaires.

Les tranchées-abris des officiers
Cette reconstitution d'un abri pour officiers dans la Somme, en automne 1916, illustre la promiscuité dans les tranchées. L'officier au téléphone essaie d'obtenir un appui de l'artillerie pour un raid imminent, tandis que son camarade dort sur un lit de camp. Aux murs sont épinglées des notes de service, des photos des proches et des cartes postales.

Dans son roman *Le Feu,* rédigé en 1916, l'écrivain Henri Barbusse (1873-1935) décrit la vie dans les tranchées et montre l'absurdité de la guerre.

La Route de Menin (1918) par Paul Nash

LES ARTISTES ET LES POÈTES

Certains soldats passaient leur temps libre à écrire des poèmes, comme le poète français Guillaume Apollinaire, ou à dessiner. Beaucoup écrivaient à leur famille ou tenaient un journal. Après la guerre, de nombreux écrits furent publiés. Ces récits de la vie dans les tranchées sont à la fois fascinants et terrifiants. En 1916, le Britannique Paul Nash (1889-1946), fut envoyé au front pour peindre la guerre.

Poème et autoportrait d'Isaac Rosenberg, artiste britannique (1890-1918)

Boîte de peinture et de pinceaux ayant appartenu à Paul Nash

« HOMMES DES CAVERNES »
Les soldats ordinaires – comme ces Britanniques au bois de Thiepval dans la Somme, en 1916 – passaient leur temps libre dans de simples trous creusés à l'écart des tranchées ou abrités sous des bâches.

LA CUISINE DE GUERRE
Ces officiers français s'offrent un bon déjeuner dans une tranchée de réserve. En première ligne, on doit se contenter de conserves ou de repas de cantine apportés des tranchées de réserve et toujours servis froids.

Les soldats vivaient en compagnie des rats et des poux.

La guerre de position

On pourrait croire que l'action sur le front ouest consistait principalement à sortir des tranchées pour se battre sur le terrain à découvert, que l'on appelait le no man's land, entre les deux lignes de front. En réalité, ce type d'action était plus rare que la bataille permanente que se livraient les soldats depuis leurs tranchées. Ils passaient leur temps à s'observer et à tirer sur toute personne assez inconsciente ou maladroite pour s'exposer à leur feu. Les hommes qui essayaient de sauver les blessés agonisant sur le no man's land ou de récupérer les corps pris dans les barbelés subissaient également les tirs de l'ennemi. Les assauts soudains et dévastateurs d'une ligne contre l'autre furent un aspect de cette bataille des tranchées. Cette guerre d'usure implacable obligeait chaque soldat à une vigilance de tous les instants : il fallait surveiller les lignes ennemies à chaque heure de la journée.

Prêts à tirer
Ces troupes allemandes dans la Marne en 1914 tirent par des trous aménagés à cet effet. Elles peuvent ainsi viser et tirer sur l'ennemi sans passer la tête au-dessus du parapet et s'exposer au feu adverse. Plus tard, les sacs de sable remplacèrent les remparts de terre. Ces soldats portent des sacs à dos avec des capotes roulées et des toiles de tente sur le dessus.

Le combat rapproché
Les poignards et les matraques servaient à tuer l'adversaire sans bruit, pour ne pas attirer l'attention. Les « nettoyeurs de tranchée » adaptaient leurs armes pour les rendre plus efficaces.

Poignard français

Grenade allemande à manche

Matraque allemande

Grenade allemande à allumeur et à balle

Grenade anglaise Mills

Les lettres à la famille
Des dizaines de millions de lettres furent envoyées pendant la Grande Guerre. Malgré la censure – et surtout l'autocensure –, les soldats racontaient à leur famille une partie de l'horreur du front. Les aumôniers consolaient, écrivaient pour ceux qui ne savaient pas.

Last time over the bags was rather terrible. The few who managed to pull themselves out of the waist-deep mud had to stand on the top & pull others who were stuck out of the trenches. Imagine doing that with machine guns hard at work, to say nothing of snipers. One man I know of was drowned in the mud. Another was only extricated by eight men. Naturally no supports or rations could come up, & after gaining their objective in some cases, in others being mown down at once they had to retire.
I have had to make this trench too wide

LE SORT DES BLESSÉS
Cette reconstitution montre une ordonnance médicale ramenant un prisonnier allemand blessé vers le poste médical, *via* les tranchées. Tous n'eurent pas cette chance. Un homme blessé dans le no man's land devait attendre que les tirs se calment pour qu'on vienne le chercher, souvent à la tombée de la nuit. Les soldats risquaient leur vie pour sauver les blessés, mais beaucoup moururent sans avoir reçu de soins.

LE POSTE DE SECOURS
Comme le montre cette reconstitution, les médecins militaires travaillaient en pleine bataille et au milieu des bombardements pour soigner de leur mieux les nombreux blessés. Ils pansaient les plaies, essayaient de soulager la douleur et préparaient les hommes grièvement blessés à supporter un transfert inconfortable vers les hôpitaux militaires.

TOUJOURS EN ACTION
Cette photographie montre des soldats bulgares en 1915. Il ne fallait jamais relâcher la vigilance. Une sentinelle devait observer les lignes ennemies en permanence, les attaques survenant toujours par surprise. Les soldats mangeaient à tour de rôle afin d'être toujours prêts à se battre.

SAUVÉ PAR LA BIBLE
Beaucoup de soldats pensaient que « Dieu était avec eux ». Le miraculé qui portait cette bible a dû le vivre comme une preuve de sa foi.

« Ils ne protestent pas ; ils savent que tout est misère dans ce monde de misère. Ils mangent silencieusement leur ratatouille froide… ils ont les mains glaiseuses et le pain crie sous leurs dents… »

PAUL TRUFFAU, *CARNETS D'UN COMBATTANT*

LES COMMUNICATIONS ET L'INTENDANCE

Communiquer avec le front et fournir aux troupes le matériel et les vivres nécessaires était essentiel pour toutes les armées, qui durent mettre au point un système de logistique performant pour le transport des denrées et des munitions. Sur le front ouest, c'était particulièrement difficile en raison de son étendue et du grand nombre de soldats engagés. Chaque armée tirait 500 000 obus par jour en moyenne et jusqu'à un million certains jours. Le transport se faisait surtout avec des voitures hippomobiles, mais la mécanisation progressait. On utilisait autant que possible le chemin de fer pour transporter les hommes et les vivres vers le front. Le téléphone et les liaisons radio assuraient un contact permanent avec les quartiers généraux et les unités.

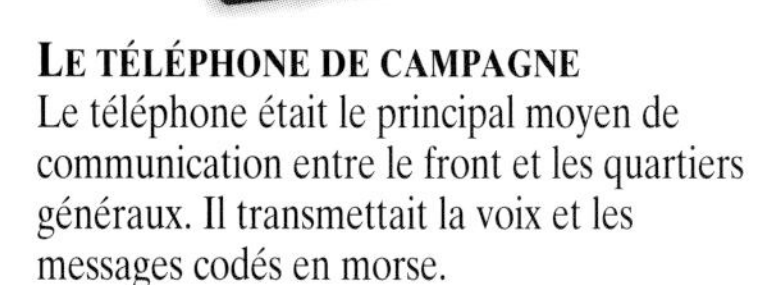

LE TÉLÉPHONE DE CAMPAGNE
Le téléphone était le principal moyen de communication entre le front et les quartiers généraux. Il transmettait la voix et les messages codés en morse.

ALLÔ !
Des équipes d'ingénieurs, ici des Allemands, étaient spécialement entraînées pour installer et faire fonctionner les lignes téléphoniques de campagne. Les contacts rapides et réguliers avec les quartiers généraux (QG) que permettait le téléphone furent souvent décisifs.

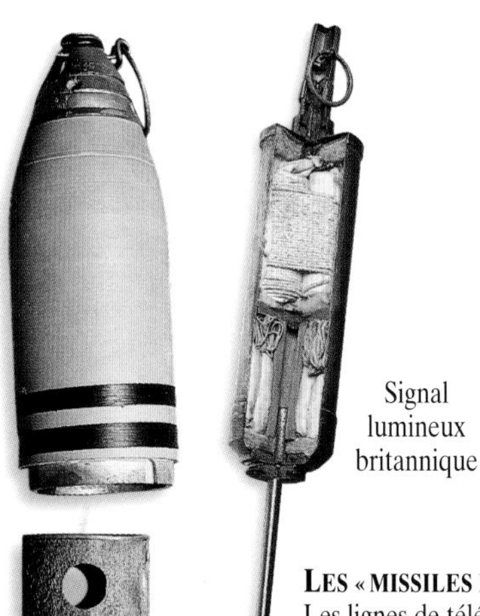

Signal lumineux britannique

LES « MISSILES MESSAGERS »
Les lignes de téléphone étaient souvent coupées par les tirs. Les messages étaient alors portés par des obus désamorcés. Une torche s'allumait pour signaler l'arrivée de l'obus. Grenades et fusées de signalisation étaient aussi fréquemment utilisées pour transmettre des messages convenus d'avance.

Message enroulé dans la base

Obus allemand contenant un message

Badge d'un soldat français des transmissions

Bâche fixée par des cordes

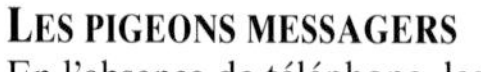

LES PIGEONS MESSAGERS
En l'absence de téléphone, les pigeons voyageurs portaient des messages. Mais, perturbés par le bruit et la confusion qui régnaient au front, les oiseaux partaient souvent dans la mauvaise direction. Les Allemands employaient aussi des « chiens de guerre » et attachaient des messages à leur collier.

Soldat fixant une charge sur une charrette

Camions transportant des vivres et des munitions vers le front

UN TRAFIC INTENSE
L'un des principaux problèmes pour approvisionner le front ouest était le mauvais état des routes. De petites voies de campagne devenaient du jour au lendemain de grands axes de communication, avec des colonnes de troupes à pied, de camions, de charrettes, d'ambulances et autres véhicules. Le trafic était intense dans les deux sens ; les soldats allant au front croisaient leurs camarades épuisés, souvent blessés, qui en revenaient. La route qui reliait en 1916 le champ de bataille de Verdun à l'arrière a été nommée, smboliquement, « la Voie sacrée ».

Blessés britanniques évacués en novembre 1916

LES VÉHICULES MOTORISÉS
Des deux côtés du front, camions et camionnettes servaient au transport des hommes, des vivres, des munitions. Ce camion Wolseley fut spécialement conçu pour la guerre, mais toutes sortes de véhicules furent utilisées.

LES BOULANGÈRES DE L'ARRIÈRE-FRONT
Il fallait produire et acheminer chaque jour des tonnes de nourriture. Dans les cantines et les boulangeries, comme ici, à Dieppe, s'affairaient les membres du corps auxiliaire féminin anglais, le WAAC *(Women's Army Auxiliary Corps)*, créé en février 1917. Les femmes y étaient employées, opératrices de téléphone ou encore magasinières, pour assurer l'approvisionnement constant du front.

Cabine du chauffeur ouverte

Les ridelles s'abaissent pour faciliter l'accès.

Camion britannique Wolseley de 3 t

L'OBSERVATION ET LES PATROUILLES

Les renseignements sur l'ennemi sont de la plus haute importance en temps de guerre, pour contrer ses avancées ou élaborer des attaques efficaces. Interroger les prisonniers est un moyen d'obtenir des informations. De part et d'autre, on s'ingéniait à mettre au point de nouveaux procédés de surveillance. Les patrouilles de nuit testaient la résistance des lignes ennemies. C'était un travail très risqué : il fallait traverser des lignes de barbelés, où l'on pouvait tomber sur un obus prêt à exploser ou bien être touché par des tirs de canon. Les tourelles d'observation et les périscopes étaient aussi utilisés. Enfin, l'aviation permettait de survoler les lignes ennemies, d'observer la disposition des tranchées et des canons et de prendre des photos. On pouvait alors établir une carte détaillée des positions adverses.

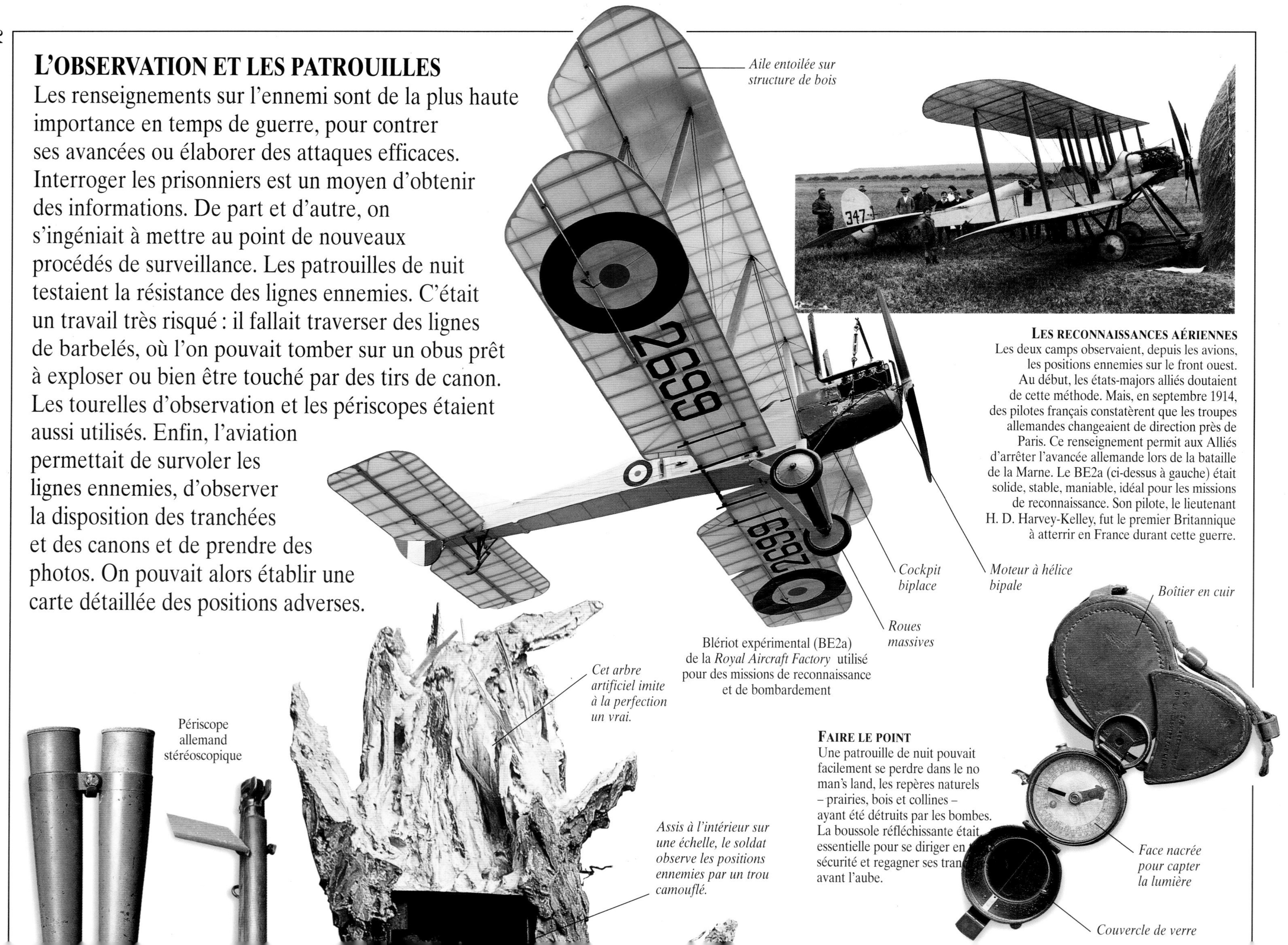

LES RECONNAISSANCES AÉRIENNES
Les deux camps observaient, depuis les avions, les positions ennemies sur le front ouest. Au début, les états-majors alliés doutaient de cette méthode. Mais, en septembre 1914, des pilotes français constatèrent que les troupes allemandes changeaient de direction près de Paris. Ce renseignement permit aux Alliés d'arrêter l'avancée allemande lors de la bataille de la Marne. Le BE2a (ci-dessus à gauche) était solide, stable, maniable, idéal pour les missions de reconnaissance. Son pilote, le lieutenant H. D. Harvey-Kelley, fut le premier Britannique à atterrir en France durant cette guerre.

Blériot expérimental (BE2a) de la *Royal Aircraft Factory* utilisé pour des missions de reconnaissance et de bombardement

Périscope allemand stéréoscopique

FAIRE LE POINT
Une patrouille de nuit pouvait facilement se perdre dans le no man's land, les repères naturels – prairies, bois et collines – ayant été détruits par les bombes. La boussole réfléchissante était essentielle pour se diriger en sécurité et regagner ses tran[chées] avant l'aube.

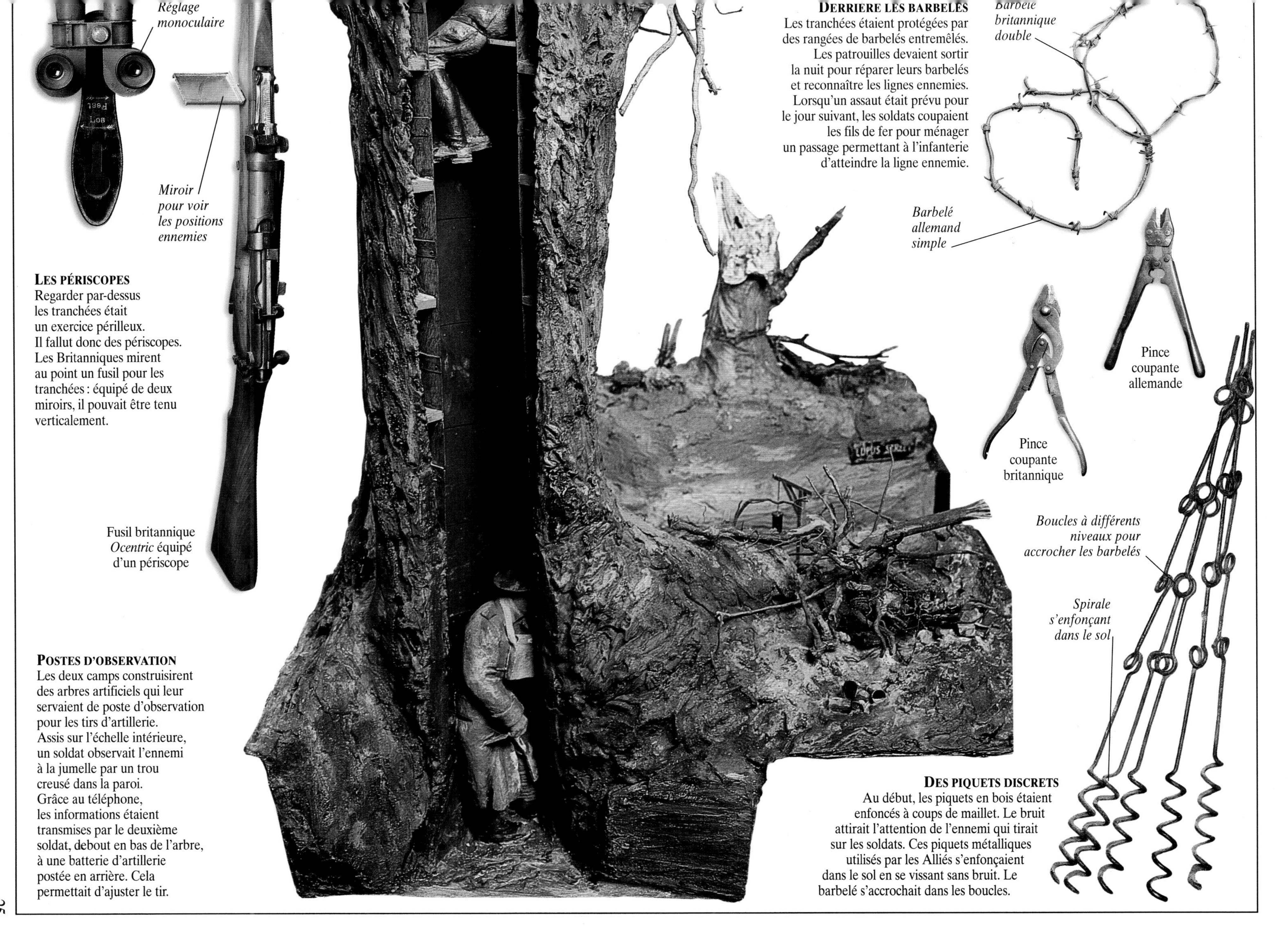

Fusil britannique *Ocentric* équipé d'un périscope

LES PÉRISCOPES
Regarder par-dessus les tranchées était un exercice périlleux. Il fallut donc des périscopes. Les Britanniques mirent au point un fusil pour les tranchées : équipé de deux miroirs, il pouvait être tenu verticalement.

POSTES D'OBSERVATION
Les deux camps construisirent des arbres artificiels qui leur servaient de poste d'observation pour les tirs d'artillerie. Assis sur l'échelle intérieure, un soldat observait l'ennemi à la jumelle par un trou creusé dans la paroi. Grâce au téléphone, les informations étaient transmises par le deuxième soldat, debout en bas de l'arbre, à une batterie d'artillerie postée en arrière. Cela permettait d'ajuster le tir.

DERRIERE LES BARBELES
Les tranchées étaient protégées par des rangées de barbelés entremêlés. Les patrouilles devaient sortir la nuit pour réparer leurs barbelés et reconnaître les lignes ennemies. Lorsqu'un assaut était prévu pour le jour suivant, les soldats coupaient les fils de fer pour ménager un passage permettant à l'infanterie d'atteindre la ligne ennemie.

DES PIQUETS DISCRETS
Au début, les piquets en bois étaient enfoncés à coups de maillet. Le bruit attirait l'attention de l'ennemi qui tirait sur les soldats. Ces piquets métalliques utilisés par les Alliés s'enfonçaient dans le sol en se vissant sans bruit. Le barbelé s'accrochait dans les boucles.

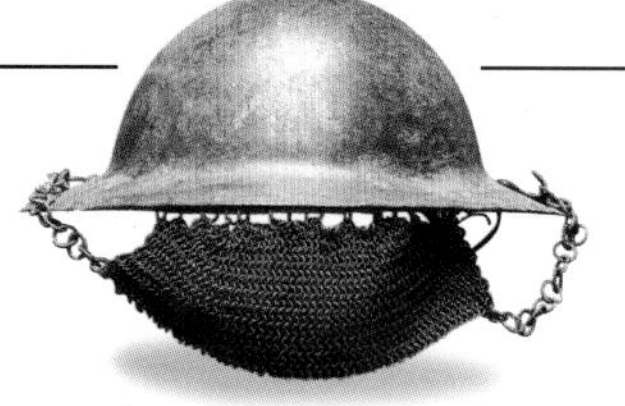

VISIÈRE DE SÉCURITÉ
En 1916-1917, une visière en mailles métalliques était adaptée au casque britannique pour protéger les yeux. Mais elle fut vite abandonnée car elle offrait une vision restreinte.

ATTENTION!
Des panneaux disposés le long du front rappelaient aux soldats qu'ils ne devaient pas se redresser dans certains endroits des tranchées, sous peine de se faire tuer.

LES BOMBARDEMENTS

L'artillerie fut la première arme utilisée durant la Grande Guerre. En 1915, fut créée l'artillerie de tranchée équipée de mortiers. Un bombardement bien ajusté pouvait détruire les tranchées ennemies, les batteries d'artillerie et les lignes de communication, et arrêter une attaque d'infanterie. Plus les positions défensives étaient renforcées, plus les bombardements devenaient longs et intensifs. Il fallut de nouvelles tactiques pour briser les lignes ennemies. La plus efficace était le barrage roulant : l'artillerie procédait à des tirs continus, formant une sorte de rideau de feu mouvant, juste avant une attaque d'infanterie.

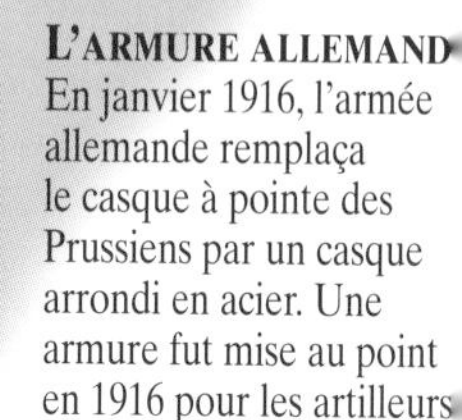

L'ARMURE ALLEMAND
En janvier 1916, l'armée allemande remplaça le casque à pointe des Prussiens par un casque arrondi en acier. Une armure fut mise au point en 1916 pour les artilleurs

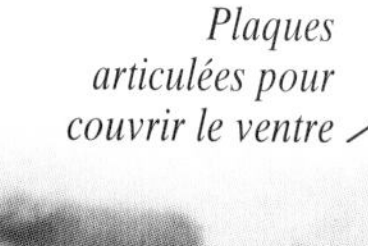

Obusier britannique Mark V de 200 mm

LE CAMOUFLAGE
Deux types de canons furent employés durant la Première Guerre mondiale : l'artillerie légère de campagne, tractée par des chevaux, fut utilisée dès 1914 ; l'artillerie lourde (obusiers), tirée par des tracteurs et placée sur des plates-formes consolidées, s'imposa à partir de 1916. Toutes devaient être camouflées pour échapper aux tirs ennemis.

LA PUISSANCE DES OBUS
Cette photographie d'un dépôt de munitions derrière le front ouest donne une idée de la quantité d'obus qui était nécessaire pour maintenir un barrage d'artillerie constant.

CHARGER UN OBUSIER
Pour charger les grandes pièces d'artillerie et les mettre à feu, il fallait une équipe d'artilleurs expérimentés. Cet obusier britannique de 380 mm était en action sur la route de Ménin, près d'Ypres, en octobre 1917. Le gros obus, sur la gauche, était trop lourd pour être porté : on utilisait un treuil pour le manipuler.

TOUCHÉ !
Cette photographie illustre la force destructrice de l'artillerie : un char anglais touché par un obus s'enflamme. A sa droite, un autre char passe à travers les lignes de barbelés. Les tirs d'artillerie atteignaient rarement les cibles mobiles comme les chars. Ils servaient plutôt à affaiblir l'ennemi avant de lancer une attaque.

Obus explosif britannique de 5,9 kg

Obus français shrapnel de 75 mm

Tiré depuis un obusier

Obus explosif britannique de 114 mm

Obus allemand shrapnel de 150 mm

LA CLASSIFICATION DES OBUS
Les obus sont classés selon leur poids ou leur diamètre. Les obus explosifs explosent sous le choc. Les shrapnels, chargés de balles, explosent en vol : ils sont destinés à tuer ou à mutiler.

À L'ASSAUT !

Après que les tirs d'artillerie avaient pilonné les défenses, l'infanterie sortait des tranchées et partait à l'assaut des lignes ennemies. Mais les bombardements de l'artillerie avaient rarement anéanti les défenses adverses, qui comblaient leurs trous par des mitrailleuses mobiles. Pour ces armes, un soldat muni uniquement d'un fusil à baïonnette et chargé d'un lourd équipement était une cible facile. Le premier jour de la bataille de la Somme, en juillet 1916, les mitrailleuses allemandes tuèrent ou blessèrent deux soldats alliés pour chaque mètre du front, long de 28 km.

SORTIR DES TRANCHÉE[S]
Le moment le plus terrifiant pour u[n] soldat était celui où il devait grimp[er] à l'échelle et s'aventurer dans le n[o] man's land. La premièr[e] fois, il ne savait pas qu[el] enfer l'attenda[it].

Gaine d'acier remplie d'eau pour refroidir le canon

Ce disque qui masque les étincelles facilite le camouflage de l'arme.

Mitrailleuse allemande Maxim VIII

Montage pour tranchée

Mitrailleuse britannique Maxim Mark III 7,7 mm

Canon doté d'un refroidissement à eau

Montage sur trépied

UN TIR NOURRI
Une mitrailleuse tirait jusqu'à 600 coups par minute. Les cartouches étaient montées sur une bande de tissu ou de métal ou dans un chargeur automatique. Une poche d'eau refroidissait le canon.

EN ACTION
Ces soldats allemands armés d'une mitrailleuse protègent le flanc d'une troupe d'infanterie attaquant le front ouest. Fiables et puissantes, les mitrailleuses étaient des armes très efficaces. Elles étaient légères et faciles à transporter, si bien que l'ennemi pouvait difficilement les détruire.

UNE ATTAQUE VAINE
La bataille de la Somme dura du 1er juillet au 18 novembre 1916. Le général Joffre lança la première grande offensive franco-britannique sous la forme d'une bataille d'usure pour ébranler l'armée et le front allemand. Joffre dut arrêter les combats en raison du mauvais temps et de l'épuisement de ses troupes constituées de soldats peu entraînés dont la formation avait été accélérée pour les besoins de la guerre. C'était le second « enfer » de 1916 après Verdun. Les Allemands, présents dans la Somme depuis 1914, connaissaient bien le terrain.

« La route défoncée était jonchée de lambeaux d'uniformes, d'armes et de cadavres. »

LIEUTENANT ERNST JÜNGER, ÉCRIVAIN ALLEMAND, *ORAGES D'ACIER*, 1920

LE PREMIER JOUR DANS LA SOMME

En 1916, les Alliés décidèrent de percer les lignes allemandes au nord de la Somme. Le 24 juin, l'artillerie anglaise commença à pilonner les lignes allemandes durant six jours. Retranchés dans des abris fortifiés, les bunkers, les Allemands subirent des pertes minimes. Le 1er juillet à 7 h 30, l'infanterie franco-anglaise attaqua. Croyant que leurs tirs d'artillerie avaient détruit les défenses allemandes, les Alliés envoyèrent leurs fantassins en longues lignes progressant au pas vers l'ennemi. Les Allemands ouvrirent le feu, fauchant littéralement un grand nombre de soldats.

Ci-dessous : soldats de la 103e brigade irlandaise Tyneside attaquant La Boisselle, le premier jour de la bataille de la Somme

LES SOINS AUX BLESSÉS
Une ordonnance médicale soigne un blessé à Thiepvall, dans la Somme, en septembre 1916. Cette photo montre l'exiguïté des tranchées qui rendait difficile tout mouvement.

LES BLESSÉS

Combien de soldats ont été blessés dans cette guerre ? Peut-être plus de 21 millions. Les secours aux blessés constituaient une opération de grande ampleur. Les premiers soins étaient dispensés dans les infirmeries des tranchées. Puis les blessés étaient évacués vers des hôpitaux de campagne, à l'écart du front. Ils y recevaient des soins plus poussés, éventuellement une chirurgie de base, avant d'être emmenés à l'arrière, dans les hôpitaux militaires. Les hommes grièvement blessés étaient renvoyés chez eux, dans des centres de convalescence. La maladie vint alourdir les pertes, notamment sur les fronts des Balkans, des Dardanelles et du Proche-Orient.

UN HOMME CHANCEUX
Bien qu'un éclat d'obus ait transpercé son casque, cet homme s'en est sorti avec une blessure minime. Tous n'eurent pas cette chance : beaucoup furent estropiés à vie, d'autres ne survécurent pas à leurs blessures.

LES SOINS DANS LES TRANCHÉES
Les soldats blessés recevaient les premiers secours dans les tranchées avant d'être transférés à un poste de soins, où ils étaient pris en charge par un médecin.

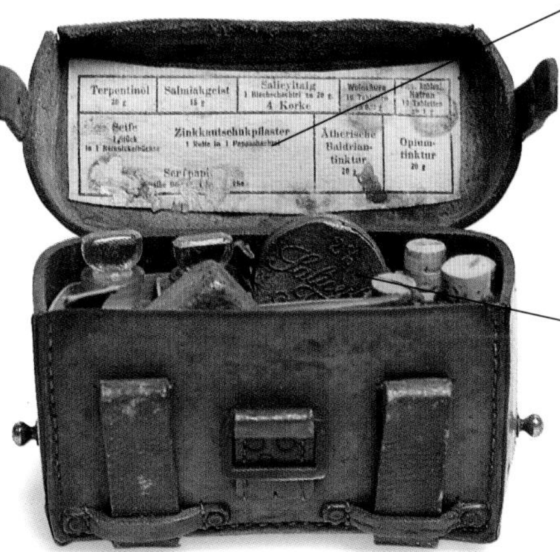

Inventaire indiquant le nom et la place des produi

Flacons d'antiseptic et d'antalgi

TROUSSE DE SECOURS ALLEMANDE
Les ordonnances médicales allemandes, les *Sanitätsmannschaften,* portaient à la ceinture deux trousses de secours. Celle de droite (ci-dessus) contenait des antiseptiques, des antalgiques et autres médicaments. Celle de gauche était réservée aux bandes et aux pansements.

Bande de rideau de dentelle

DES PANSEMENTS RECYCLÉS
Soumis au blocus naval par les Anglais, les Allemands n'avaient plus ni coton ni lin. Leurs bandes étaient faites de fibre de bois, de papier et de rideaux de dentelle.

Pansements allemands

orceps et
amps rangés
ıns un châssis
étallique

En bas, scies
t couteaux
our les
mputations

LA TROUSSE DE CHIRURGIEN
Les médecins de l'armée avaient une trousse standard avec des instruments de chirurgie, comme cette trousse de l'armée indienne. Ils étaient très sollicités : il leur fallait sans cesse intervenir pour extraire des balles ou des éclats d'obus.

UN HÔPITAL DE CAMPAGNE
Des fermes, des usines détruites, voire des églises bombardées comme ici dans la Meuse, furent transformées en hôpitaux de fortune pour soigner les blessés. Les soins étaient sommaires, et les blessés souvent livrés à eux-mêmes.

.A NÉVROSE DE GUERRE

Ce terme générique regroupe des troubles tels que la commotion cérébrale, es chocs psychiques, l'épuisement nerveux et les divers traumatismes liés . la guerre. La guerre des tranchées fut si horrible qu'un grand nombre le soldats manifestèrent ces divers symptômes. Si la plupart s'en remirent, eaucoup souffrirent de cauchemars et d'autres troubles pour le reste le leur existence. Certains médecins doutèrent de cette pathologie t considérèrent que les « malades » étaient des simulateurs. Cependant, la majorité des psychiatres essayèrent de comprendre ampleur de ce drame à la dimension du conflit.

Une ordonnance médicale aide un soldat blessé à quitter les tranchées.

Couchettes pour le transport des blessés

La croix rouge symbolise le statut de non-combattant de l'ambulance.

LES AMBULANCES
Les équipes médicales de l'armée disposaient d'ambulances pour transporter les blessés à l'hôpital. Le personnel était souvent formé de volontaires, surtout des femmes et des ressortissants de pays extérieurs au conflit.

LES FEMMES DANS LA GUERRE

Les hommes partis au combat, les femmes durent les remplacer à l'arrière. Elles allaient tenir une place immense dans l'économie de guerre. Si elles travaillaient déjà massivement avant le conflit (sauf dans la bourgeoisie), leur rôle était limité aux tâches domestiques, aux soins aux personnes, à l'enseignement, aux travaux de la ferme. Les hommes absents, elles durent les remplacer dans tous les secteurs : elles conduisirent les camions et les tramways ; dans les usines d'armement, les « munitionnettes » formaient la main-d'œuvre non qualifiée pendant que les hommes conservaient les postes de responsabilité. Après guerre, elles furent les premières renvoyées. En Angleterre cependant, les femmes gagnèrent le droit de vote, en reconnaissance de leur participation à l'effort national.

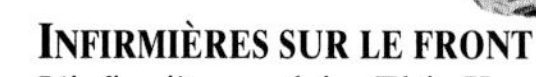

INFIRMIÈRES SUR LE FRONT
L'infirmière anglaise Elsie Knocker (ci-dessus) se rendit en Belgique en 1914, bientôt rejointe par l'Ecossaise Mairi Chrisholm. Elles montèrent ensemble un centre de soins à Pervyse (Belgique y soignant les blessés jusqu'en 1918, où elles furent toutes deux victimes des gaz asphyxiants. Des femmes originaires de pays non belligérants, telle l'Américaine Ann Morgon, vinrent renforcer les milliers d'engagée au service des Croix-Rouge nationales.

TRAVAIL À L'ARRIÈRE-FRONT
Pendant la guerre, les métiers traditionnellement féminins, comme blanchisseuse ou boulangère, s'organisèrent à une grande échelle. Les Françaises employées par l'armée anglaise à la laverie de Prévent, en 1918, devaient laver chaque jour les vêtements de milliers de soldats.

LES AUXILIAIRES DE LA REINE MARY
Peu de femmes furent vraiment engagées dans les combats, mais beaucoup s'enrôlèrent dans des armées auxiliaires pour que les hommes ainsi libérés puissent partir au front. Elles conduisaient les camions, réparaient les moteurs, accomplissaient les tâches administratives et la logistique. Cette femme en kaki (à gauche) encourage les volontaires à rejoindre le corps auxiliaire féminin de l'armée avec ce slogan : « La fille derrière l'homme derrière le canon. » Ces femmes gardaient, malgré leur fonction militaire, un statut civil.

’ARMÉE AGRICOLE FÉMININE

artout en Europe, les femmes avaient depuis toujours un rôle essentiel dans ıgriculture, qui fut renforcé par la guerre. Les lettres montrent que les soldats et urs femmes communiquaient sur la moisson, le soin aux animaux. En Angleterre, ù les agriculteurs étaient très peu nombreux, et qui dépendait des importations, :s femmes s’engagèrent à la campagne.

LES AMAZONES RUSSES

Un certain nombre de femmes russes s’engagèrent dans la « Légion de la Mort » pour défendre leur pays. Le premier bataillon féminin de Petrograd (Saint-Pétersbourg) se distingua en faisant plus de 100 prisonniers allemands lors de la retraite de Russie. Beaucoup de femmes y laissèrent la vie.

Lettres aux soldats au front, décrivant la vie à la maison

Photos de famille

Mouchoir brodé

AIDEZ LE PAYS !

La propagande diffusait des images de femmes modèles pour inciter la population à contribuer à l’effort de guerre. Cette affiche russe exhorte les citoyens à acheter des bons de guerre (emprunts lancé par le gouvernement). La femme russe y est associée à l’amour de la patrie.

DES SALAIRES DE MISÈRE

Si la guerre a contribué à améliorer le statut et le niveau de vie des femmes, leur salaire restait partout très bas. Ces Italiennes travaillent dans des conditions terriblement difficiles dans une usine de munitions. Beaucoup sont très jeunes et n’ont même pas les moyens d’acheter des chaussures. Les femmes travaillaient dur, de longues heures, et gagnaient à peine de quoi faire vivre la famille. Très souvent, ces conditions pénibles provoquaient des grèves menées par des femmes.

DES SOUVENIRS DE LA MAISON

Les femmes gardaient contact avec leur mari, leurs frères, leurs fils grâce au courrier. Les lettres renfermaient souvent des porte-bonheur, comme des photos et des fleurs séchées, destinés à rassurer les hommes et à leur montrer que leurs proches pensaient à eux. Ces témoignages d’amour étaient très importants pour remonter le moral des troupes et vaincre la peur.

La guerre aérienne

Lorsque la guerre éclata, en 1914, l'aviation n'avait qu'une dizaine d'années. Certains chefs d'état-major ne voyaient même pas comment l'aviation pourrait servir à la guerre et lui préféraient le dirigeable. Ils changèrent rapidement d'avis. Les premiers avions de guerre effectuaient des missions de reconnaissance et aidaient à guider les tirs d'artillerie avec plus de précision. Les pilotes ennemis essayaient de les abattre lors de combats aériens héroïques où se distinguaient les « as ». Rapidement, les belligérants construisirent des avions de combat : le Français Roland Garros imagina un système où la mitrailleuse pouvait tirer à travers l'hélice, puis vinrent le Sopwith Camel anglais, et le Fokker allemand, qui pouvaient larguer des bombes. À la fin de la guerre, l'aviation militaire avait évolué et l'industrie aéronautique était très performante. Mais elle ne jouait encore qu'un rôle secondaire dans les opérations militaires

Les combats aériens
Ces pilotes sont engagés dans un combat aérien au-dessus du front ouest. Les canons sont montés sur le toit de l'avion. Il faut donc voler droit sur l'ennemi pour pouvoir tirer sur lui.

Le Sopwith Camel
Le Sopwith F1 Camel participa aux combats à partir de juin 1917. Les pilotes appréciaient le Camel, très maniable, capable de réaliser des virages serrés à grande vitesse.

L'équipement des pilotes
Les cockpits étaient ouverts, aussi les pilotes devaient-ils être bien équipés pour résister au froid : ils portaient des manteaux de cuir, des passe-montagnes et des gants de cuir doublés. Plus tard, des combinaisons de coton doublées de soie et de fourrure firent leur apparition.

Les bombes aériennes
Les premières bombes étaient littéralement jetées par-dessus bord par le pilote. Ensuite, les avions furent équipés en bombardiers, avec des systèmes pour ajuster le tir, des réservoirs de bombes près du fuselage et un dispositif de largage déclenché par le pilote ou un autre membre de l'équipage.

Bombe britannique Hales de 9 kg contenant 2 kg d'explosifs

Bombe incendiaire britannique

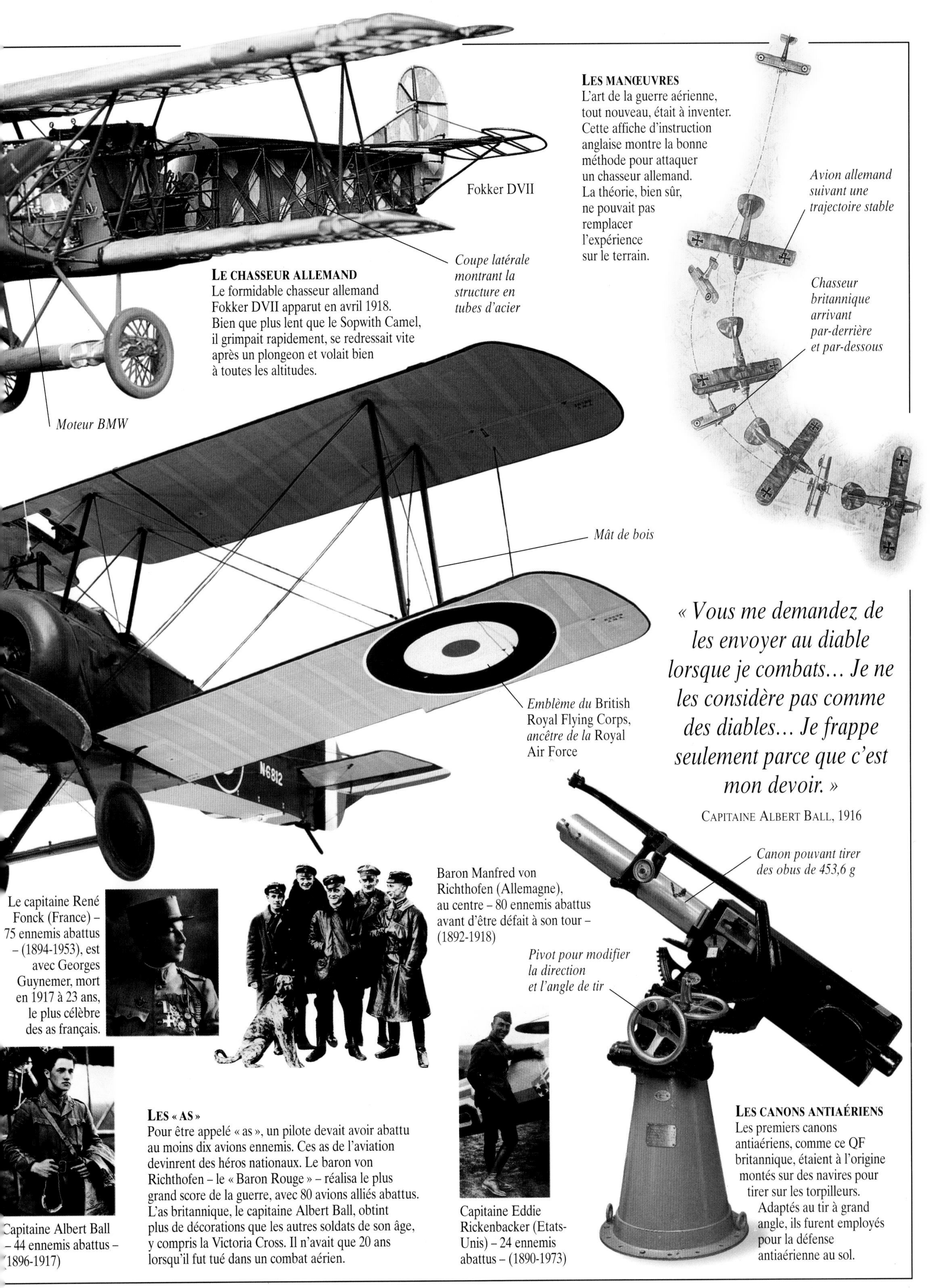

LE CHASSEUR ALLEMAND
Le formidable chasseur allemand Fokker DVII apparut en avril 1918. Bien que plus lent que le Sopwith Camel, il grimpait rapidement, se redressait vite après un plongeon et volait bien à toutes les altitudes.

Fokker DVII

Coupe latérale montrant la structure en tubes d'acier

Moteur BMW

LES MANŒUVRES
L'art de la guerre aérienne, tout nouveau, était à inventer. Cette affiche d'instruction anglaise montre la bonne méthode pour attaquer un chasseur allemand. La théorie, bien sûr, ne pouvait pas remplacer l'expérience sur le terrain.

Avion allemand suivant une trajectoire stable

Chasseur britannique arrivant par-derrière et par-dessous

Mât de bois

Emblème du British Royal Flying Corps, *ancêtre de la* Royal Air Force

« Vous me demandez de les envoyer au diable lorsque je combats... Je ne les considère pas comme des diables... Je frappe seulement parce que c'est mon devoir. »

CAPITAINE ALBERT BALL, 1916

Canon pouvant tirer des obus de 453,6 g

Pivot pour modifier la direction et l'angle de tir

Le capitaine René Fonck (France) – 75 ennemis abattus – (1894-1953), est avec Georges Guynemer, mort en 1917 à 23 ans, le plus célèbre des as français.

Baron Manfred von Richthofen (Allemagne), au centre – 80 ennemis abattus avant d'être défait à son tour – (1892-1918)

Capitaine Albert Ball – 44 ennemis abattus – (1896-1917)

LES « AS »
Pour être appelé « as », un pilote devait avoir abattu au moins dix avions ennemis. Ces as de l'aviation devinrent des héros nationaux. Le baron von Richthofen – le « Baron Rouge » – réalisa le plus grand score de la guerre, avec 80 avions alliés abattus. L'as britannique, le capitaine Albert Ball, obtint plus de décorations que les autres soldats de son âge, y compris la Victoria Cross. Il n'avait que 20 ans lorsqu'il fut tué dans un combat aérien.

Capitaine Eddie Rickenbacker (Etats-Unis) – 24 ennemis abattus – (1890-1973)

LES CANONS ANTIAÉRIENS
Les premiers canons antiaériens, comme ce QF britannique, étaient à l'origine montés sur des navires pour tirer sur les torpilleurs. Adaptés au tir à grand angle, ils furent employés pour la défense antiaérienne au sol.

LE ZEPPELIN

Le premier dirigeable fut conçu par le comte allemand Ferdinand von Zeppelin en 1900. Au début de la guerre, ces ballons dirigeables rigides pouvaient voler plus haut que les avions. Il était quasiment impossible de les abattre. Ils étaient donc très efficaces pour les bombardements. Dès 1914, les dirigeables bombardèrent Paris. Au printemps 1915, ils firent leur apparition dans le ciel britannique. La vue de ces énormes machines qui se déplaçaient lentement causait une énorme panique : une pluie de bombes pouvait tomber du ciel à tout moment. Mais la mise au point d'avions puissants et, surtout, l'emploi de balles incendiaires mirent rapidement fin à cette invulnérabilité. En 1917, Allemands et Anglais n'employaient plus cet appareil que pour des missions de reconnaissance en mer.

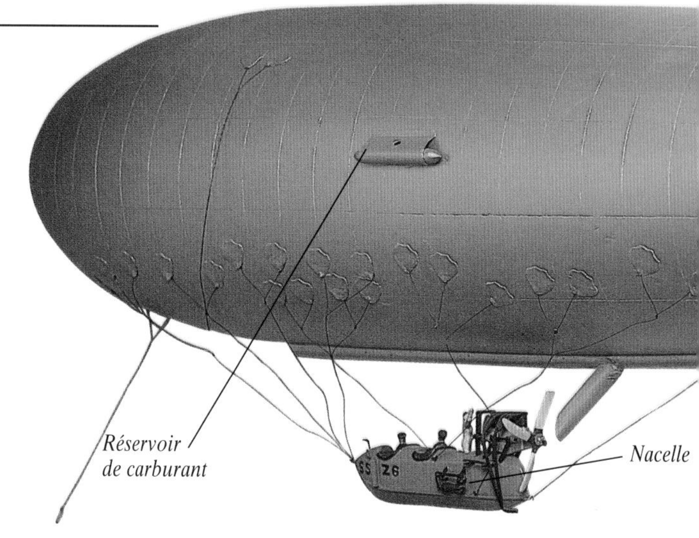

DANS LA NACELLE
L'équipage manœuvrait le dirigeable depuis une nacelle spacieuse suspendue sous le ballon. Ce lieu était ouvert à tous les vents.

LARGUEZ LES BOMBES !
Au début, l'équipage du dirigeable devait lancer à la main les bombes par-dessus la nacelle. Plus tard, un système automatique de largage des bombes fut mis au point.

Type de bombe incendiaire allemande lancée depuis les zeppelins

DE PLUS EN PLUS GRAND
Ce dirigeable allemand L3 fit partie du premier raid aérien sur l'Angleterre, dans la nuit du 19 au 20 janvier 1915, qui fit 20 blessés civils. Sa taille est impressionnante mais, en 1918, l'Allemagne fabriquait des dirigeables trois fois plus grands.

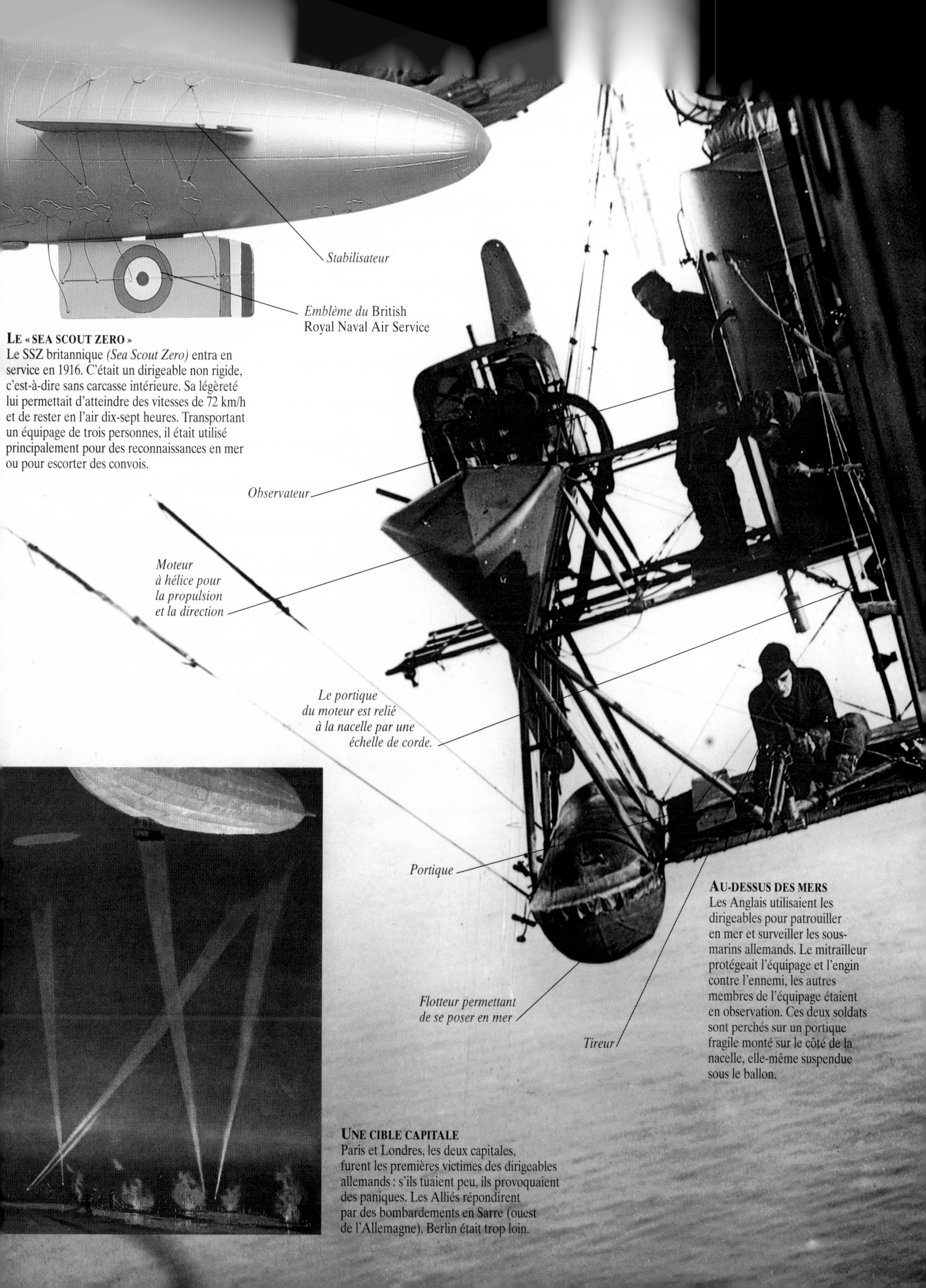

LE « SEA SCOUT ZERO »
Le SSZ britannique *(Sea Scout Zero)* entra en service en 1916. C'était un dirigeable non rigide, c'est-à-dire sans carcasse intérieure. Sa légèreté lui permettait d'atteindre des vitesses de 72 km/h et de rester en l'air dix-sept heures. Transportant un équipage de trois personnes, il était utilisé principalement pour des reconnaissances en mer ou pour escorter des convois.

AU-DESSUS DES MERS
Les Anglais utilisaient les dirigeables pour patrouiller en mer et surveiller les sous-marins allemands. Le mitrailleur protégeait l'équipage et l'engin contre l'ennemi, les autres membres de l'équipage étaient en observation. Ces deux soldats sont perchés sur un portique fragile monté sur le côté de la nacelle, elle-même suspendue sous le ballon.

UNE CIBLE CAPITALE
Paris et Londres, les deux capitales, furent les premières victimes des dirigeables allemands : s'ils tuaient peu, ils provoquaient des paniques. Les Alliés répondirent par des bombardements en Sarre (ouest de l'Allemagne), Berlin était trop loin.

« ENGAGEZ-VOUS ! »
En avril 1917, les Etats-Unis entrèrent en guerre. Sur cette affiche, une femme séduisante en uniforme naval incite les volontaires à s'engager.

LA GUERRE NAVALE

Même si les grandes puissances s'étaient engagées dans une course à l'armement naval avant 1914, la Première Guerre mondiale se joua surtout à terre. La seule bataille navale importante, au large des côtes du Jutland danois, en mer du Nord, en 1916, ne fut pas décisive. Les Britanniques eurent besoin de leur flotte pour protéger les navires qui les approvisionnaient car les importations de matières premières et de denrées alimentaires leur étaient vitales. Les blocus de l'Allemagne, visant à empêcher ses importations, poussa ce pays à déclarer la guerre sous-marine à outrance contre tous les navires militaires ou marchands alliés ou neutres. Ce fut l'une des causes de l'entrée en guerre des États-Unis.

UNE MENACE CONSTANTE
Cette affiche de propagande allemande titrant « Les sous-marins sont sortis ! » témoigne de la menace que représentaient les sous-marins allemands.

LA VIE DANS UN SOUS-MARIN
Les conditions de vie dans un sous-marin étaient extrêmement pénibles. Promiscuité, fumée et chaleur des moteurs, alliées à une mauvaise ventilation, rendaient l'air irrespirable. Les sous-marins devaient naviguer au milieu de champs de mines et éviter les avions de reconnaissance pour pouvoir frapper la flotte ennemie. C'étaient des « prisons de fer ».

SUR TERRE ET SUR MER
Les hydravions pouvaient se poser et décoller à terre et en mer. Ils étaient employés en reconnaissance et pour les bombardements. Ce Short 184 fut le premier hydravion à couler un navire ennemi grâce à une torpille.

Flotteurs pour se poser en mer

Ballon d'observation

Canon

UN SUCCÈS CHER PAYÉ
Les sous-marins allemands opéraient sous l'eau et en surface. Ici, l'équipage ouvre le feu avec un canon de pont pour arrêter un vapeur ennemi. Les sous-marins allemands coulèrent 5554 navires marchands alliés ou neutres et de nombreux navires de guerre. Mais leurs propres pertes furent considérables. Sur une flotte totale de 372 sous-marins, 178 furent détruits par les bombes et les torpilles alliées.

TROMPER POUR SURVIVRE
En 1917, l'amirauté anglaise décida de camoufler les navires marchands. Ces dessins géométriques gris, noirs et bleus déforment la silhouette des bateaux : les sous-marins allemands avaient du mal à repérer leur trajectoire et à tirer avec précision. Plus de 2 700 navires marchands et 400 convoyeurs furent maquillés de cette façon avant la fin de la guerre.

AMOUFLER
e nombreux artistes contribuèrent à l'effort e guerre. Le peintre britannique Edward adsworth dirigeait les peintres ui camouflèrent la coque des navires. peignit plus tard ce tableau *Navires amouflés à quai à Liverpool*. En France, les eintres cubistes déguisaient canons et navires.

Médailles décernées à Cornwall

La Victoria Cross (VC)

La médaille de guerre britannique

La médaille de la victoire

UN MOUSSE COURAGEUX
John Travers Cornwall n'avait que 16 ans lorsqu'il participa à la bataille du Jutland, le 31 mai 1916. Mousse à bord du HMS *Chester*, il fut grièvement blessé pendant la bataille. Entouré de camarades morts ou blessés, Cornwall resta à son poste jusqu'à la fin de l'action. Il mourut de ses blessures le 2 juin et reçut, à titre posthume, la Victoria Cross.

LA « GRAND FLEET »
Commandée par l'amiral John Jellicoe, la *Royal Navy* était la plus puissante flotte de haute mer du monde à l'époque de la Grande Guerre. Sa politique consistait à égaler au moins la force additionnée des deux plus grandes puissances navales après elle. En dépit de cette supériorité, la *Navy* resta cantonnée à un rôle mineur par rapport aux forces terrestres. Mais la mise en place de convois efficaces fit échouer la guerre sous-marine à outrance déclarée par l'Allemagne.

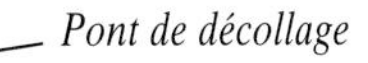

Pont de décollage

E HMS « FURIOUS »
e premier porte-avions fut ncé durant la Première Guerre ondiale. Le 7 juillet 1918, sept Sopwith amel décollèrent du pont du HMS *Furious* our attaquer la base de zeppelins de ondern, au nord de l'Allemagne, détruisant eux hangars et les zeppelins qu'ils abritaient.

VŒUX SUCRÉS
Les biscuits de l'armée anglaise étaient plus faciles à utiliser comme support d'écriture qu'à manger, comme en témoigne cette carte de Noël gravée sur un biscuit.

L'EXPÉDITION DES DARDANELLES

Devant le blocage du front occidental, début 1915, les Alliés, à la demande de la Grande-Bretagne, poussée par Churchill, décidèrent de forcer le passage stratégique des Dardanelles. Ce front secondaire devait contraindre la Turquie à capituler et donc à tenir ouvert le passage vers la mer Noire et l'allié russe. Mais les attaques navales de février et de mars furent un échec. Le 25 avril, les troupes britanniques, australiennes, néo-zélandaises et françaises débarquèrent sur la presqu'île de Gallipoli. En août, un second débarquement réussit, mais les pertes furent très élevées. La résistance turque empêcha les Alliés d'avancer au-delà des plages. Les mois passant, les pertes augmentèrent. Les Alliés se retirèrent en janvier 1916, laissant la Turquie maître des Dardanelles et toujours en guerre.

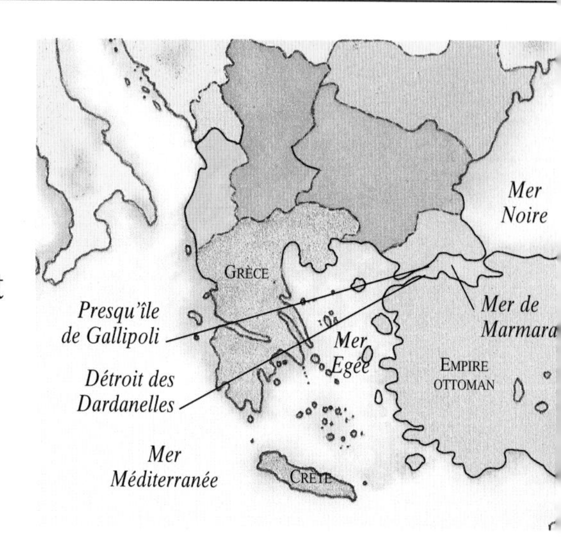

GALLIPOLI
La presqu'île de Gallipoli borde, au nord des Dardanelles, une série de passages étroits reliant la mer Egée à la mer Noire, *via* la mer de Marmara et les Détroits. Leur contrôle aurait permis à l'Angleterre et à la France d'accéder par voie maritime directe depuis la Méditerranée à la mer Noire et à la Russie alliée. Mais les deux rives étaient sous la domination de l'Empire ottoman, allié de l'Allemagne.

Jetée pour les navires embarquant les soldats malades et blessés

UNE PLAGE-HÔPITAL
Dans les deux camps, la nourriture était contaminée par des mouches transportant des agents infectieux issus des nombreux cadavres. En septembre 1915, 78 % des soldats du bataillon de l'Anzac *(Australian New Zealand Army Corps),* traités dans l'hôpital installé sur la plage d'Anzac Cove, « baie d'Anzac » (ci-dessus), souffraient de dysenterie endémique.

Trousse médicale personnelle d'un officier britannique, utilisée sur le front

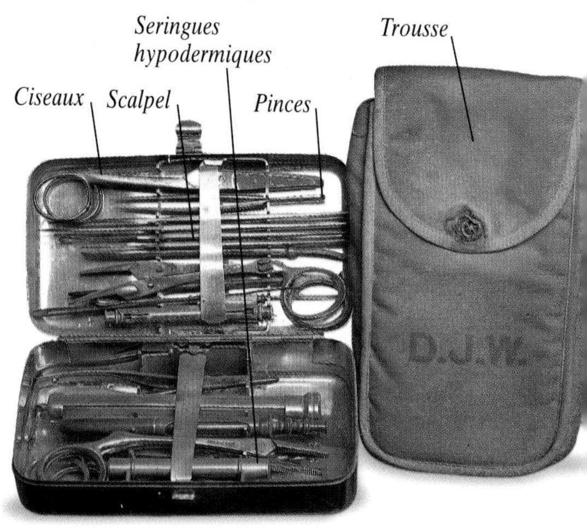

DES PERTES ÉLEVÉES
En dépit des efforts du personnel médical, équipé de ces trousses de chirurgie portatives, la prise en charge et l'évacuation des blessés de Gallipoli furent difficiles, car un grand nombre de soldats malades s'ajoutaient aux blessés.

L'INTERVENTION ALLEMANDE
Les Alliés pensaient que la presqu'île de Gallipoli était peu défendue, mais, avec l'aide des Allemands, les Turcs avaient établi des positions défensives résistantes : des tranchées, des barrières de barbelés, des postes d'artillerie bien surveillés. Les Allemands avaient également équipé les Turcs de pistolets, de fusils et de mitrailleuses modernes.

DES GRENADES IMPROVISÉES
Lors des batailles des Dardanelles, les ennemis étaient souvent proches. Les grenades lancées à la main étaient particulièrement efficaces. A défaut de munitions, les Alliés utilisaient des pots de confiture pour bricoler des grenades.

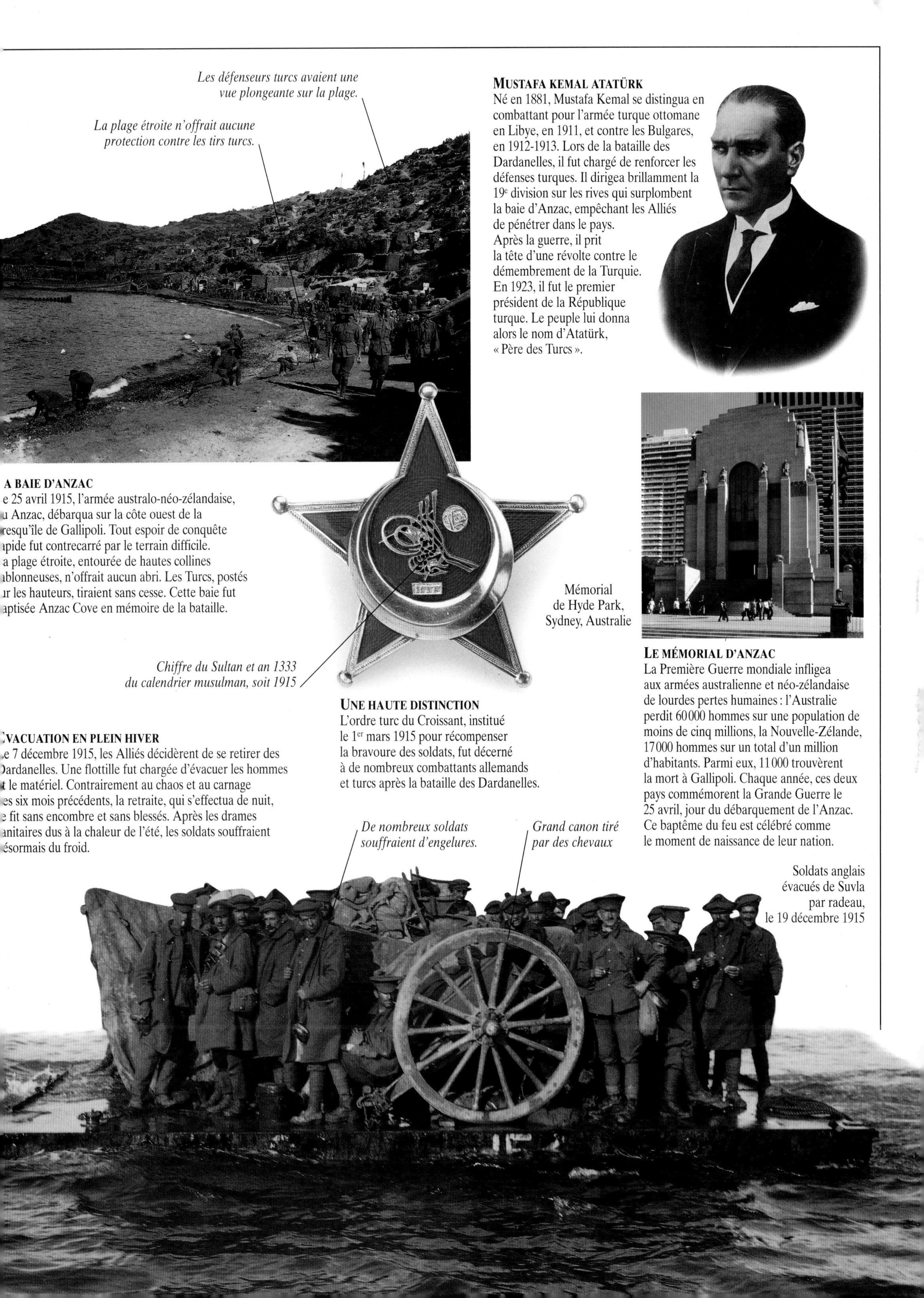

Les défenseurs turcs avaient une vue plongeante sur la plage.

La plage étroite n'offrait aucune protection contre les tirs turcs.

A BAIE D'ANZAC
e 25 avril 1915, l'armée australo-néo-zélandaise, ı Anzac, débarqua sur la côte ouest de la resqu'île de Gallipoli. Tout espoir de conquête ıpide fut contrecarré par le terrain difficile. a plage étroite, entourée de hautes collines ıblonneuses, n'offrait aucun abri. Les Turcs, postés ır les hauteurs, tiraient sans cesse. Cette baie fut aptisée Anzac Cove en mémoire de la bataille.

MUSTAFA KEMAL ATATÜRK
Né en 1881, Mustafa Kemal se distingua en combattant pour l'armée turque ottomane en Libye, en 1911, et contre les Bulgares, en 1912-1913. Lors de la bataille des Dardanelles, il fut chargé de renforcer les défenses turques. Il dirigea brillamment la 19e division sur les rives qui surplombent la baie d'Anzac, empêchant les Alliés de pénétrer dans le pays. Après la guerre, il prit la tête d'une révolte contre le démembrement de la Turquie. En 1923, il fut le premier président de la République turque. Le peuple lui donna alors le nom d'Atatürk, « Père des Turcs ».

Mémorial de Hyde Park, Sydney, Australie

Chiffre du Sultan et an 1333 du calendrier musulman, soit 1915

UNE HAUTE DISTINCTION
L'ordre turc du Croissant, institué le 1er mars 1915 pour récompenser la bravoure des soldats, fut décerné à de nombreux combattants allemands et turcs après la bataille des Dardanelles.

LE MÉMORIAL D'ANZAC
La Première Guerre mondiale infligea aux armées australienne et néo-zélandaise de lourdes pertes humaines : l'Australie perdit 60 000 hommes sur une population de moins de cinq millions, la Nouvelle-Zélande, 17 000 hommes sur un total d'un million d'habitants. Parmi eux, 11 000 trouvèrent la mort à Gallipoli. Chaque année, ces deux pays commémorent la Grande Guerre le 25 avril, jour du débarquement de l'Anzac. Ce baptême du feu est célébré comme le moment de naissance de leur nation.

ÉVACUATION EN PLEIN HIVER
.e 7 décembre 1915, les Alliés décidèrent de se retirer des)ardanelles. Une flottille fut chargée d'évacuer les hommes t le matériel. Contrairement au chaos et au carnage es six mois précédents, la retraite, qui s'effectua de nuit, e fit sans encombre et sans blessés. Après les drames anitaires dus à la chaleur de l'été, les soldats souffraient ésormais du froid.

De nombreux soldats souffraient d'engelures.

Grand canon tiré par des chevaux

Soldats anglais évacués de Suvla par radeau, le 19 décembre 1915

LA BATAILLE DE VERDUN

Le 21 février 1916, les Allemands lancèrent une attaque massive sur Verdun, prenant par surprise les Français dans un secteur où l'on ne croyait pas à une attaque. Les Français perdirent le contrôle de quelques places fortifiées, mais ils renforcèrent leur résistance durant l'été, défendant le territoire national avec passion. En décembre, ils avaient presque repoussé l'ennemi dans ses positions initiales. Mais des deux côtés, les pertes furent énormes : plus de 400000 tués et blessés chez les Français et plus de 330000 chez les Allemands. Le général allemand Falkenhayn expliqua par la suite qu'il voulait « saigner à blanc » l'armée française. Ce fut un échec. En comptant les pertes subies à la bataille de la Somme, l'Allemagne totalisa, pour l'année 1916, 774 150 tués et blessés.

DES DÉCOMBRES EN FLAMMES
Le 25 février, la vieille ville de Verdun fut évacuée. De nombreux immeubles furent touchés par les bombardements et les incendies firent rage durant plusieurs jours. Les pompiers firent de leur mieux, mais les maisons à colombages brûlaient comme des torches.

LE GÉNÉRAL PÉTAIN
Le général Philippe Pétain prit le commandement des forces françaises à Verdun le 25 février, jour où les Français perdirent le fort de Douaumont. Partisan de la défensive, il eut l'idée de la « noria » : toutes les unités de l'armée française allaient passer par le front de Verdur Mais c'est le général Nivell qui commanda l'offensive

FORT DOUAUMONT
Verdun était protégée par trois rangs de fortifications. Douaumont, sur le rang extérieur, était la plus grande place forte. Construit en acier et en béton, ce fort était entouré de remparts, de fossés et de barbelés. Mais sa défense n'était assurée que par 56 réservistes âgés, car les Français pensaient bizarement en 1915 que le secteur de Verdun ne se révélerait pas important. Le 25 février, le fort tomba aux mains des Allemands.

LE POILU
Les soldats français étaient familièrement appelés les « poilus ». A Verdun, ils affrontèrent l'enfer des obus et de la boue, dans la plus terrible bataille de la guerre.

A l'arrière-plan : la ville de Verdun en ruine

UNE BATAILLE SERRÉE
La bataille de Verdun fut particulièrement acharnée. Les deux armées attaquaient et contre-attaquaient sans cesse les mêmes forts et positions stratégiques autour de la ville. Les attaquants furent pris sous le feu des tirs de mitrailleuses de l'ennemi retranché dans les forts. Le terrain était si exposé qu'il était impossible d'évacuer les morts : les corps étaient laissés à l'abandon sur le champ de bataille. De plus, les forts étaient reliés entre eux par un réseau de souterrains où les soldats s'engageaient dans des corps à corps mortels. Cette image est tirée d'un film bien postérieur sur la bataille de Verdun.

« Quel bain de sang,
quelles images horribles, quel carnage !
Aucun mot n'est assez fort pour exprimer
ce que je ressens.
L'enfer ne peut pas être aussi terrible. »

ALBERT JOUBAIRE,
SOLDAT FRANÇAIS, VERDUN, 1916

UTOUR DE VERDUN
village d'Ornes fut attaqué et pris r les Allemands durant la bataille Verdun. Il fut laissé dans un tel état dévastation qu'on ne prit pas la peine le reconstruire après la guerre. Seul n nom resta, symbole de la guerre totale.

Couronne de lauriers

Couronne de feuilles de chêne

Tête de Marianne, symbole de la République française

LA LÉGION D'HONNEUR
En reconnaissance des souffrances infligées à ses habitants, Raymond Poincaré, président français, décerna la Légion d'honneur à la ville de Verdun. Cette distinction est habituellement réservée aux hommes et aux femmes, en récompense de services militaires ou civils.

L'ENFER DE BOUE
La région de Verdun est boisée et vallonnée, avec de nombreux cours d'eau qui se jettent dans la Meuse. De fortes pluies additionnées aux tirs d'artillerie en firent un vaste bourbier, où s'enlisaient les corps des victimes à demi enterrés dans les cratères d'obus et où les survivants étaient forcés de manger et de dormir à quelques mètres de leurs camarades tombés au combat. Cette photographie montre le « ravin de la Mort ».

Masque anglais *Hypo*

LE GAZ, ARME CHIMIQUE

Le 22 avril 1915, les troupes franco-algériennes stationnées près d'Ypres, en Belgiqu virent un nuage vert-jaune qui s'avançait vers elles depuis le front allemand : du chlo C'était la première fois qu'un gaz toxique, dont l'emploi était interdit par la déclarati de La Haye de 1899, était utilisé comme arme de guerre (d'où le nom d'ypérite). Les soldats furent pris de panique : ils n'avaient aucun moyen de se protéger. Dans les tr années qui suivirent, Allemands, Anglais et Français déversèrent des milliers de ton de gaz toxiques. Au début, on se contentait d'ouvrir des bonbonnes de gaz que le ve portait vers l'ennemi, mais le vent peut tourner… On employa alors des obus chargés de gaz, que l'on lançait dans les lignes ennemies. Au total, 1 200 000 soldats des deux camps furent touchés par les gaz, dont 91 200 moururent. C'est peu par rapport au nombre d'hommes touchés par les obus. Mais l'utilisation des armes chimiques fut un seuil spectaculaire de la Grande Guerre.

LES PREMIÈRES PROTECTIONS
Les premiers masques à gaz étaient sommaires et souvent inefficaces, comme le montrent ces images extraites d'un manuel d'instruction. Des lunettes protégeaient les yeux, tandis que des tampons de flanelle, ou autre tissu absorbant, étaient appliqués sur la bouche. Ces tampons étaient imbibés de produits chimiques qui neutralisaient les gaz.

Lunettes anti-gaz

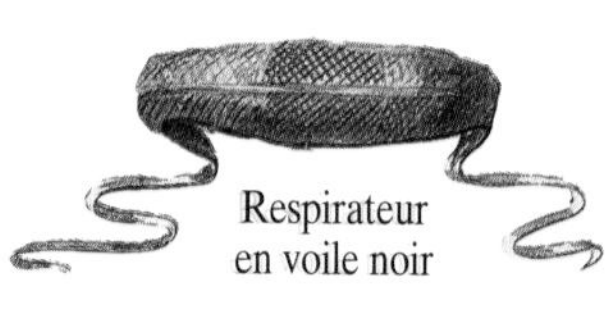

Respirateur en voile noir

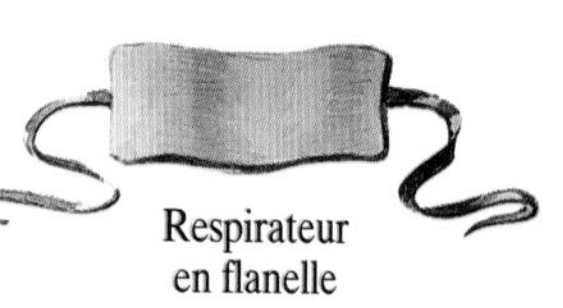

Respirateur en flanelle

Tuyau

Filtre chimique servant à neutraliser les gaz

Respirateur à petit réservoir

Sifflet pour sonner l'alerte aux gaz

LE MASQUE INTÉGRAL
Vers le milieu de la guerre, les deux camps mirent au point des dispositifs composés de masques faciaux, avec des lunettes et des respirateurs. Cela permettait de protéger les yeux, le nez et la gorge des effets toxiques des gaz.

GAZÉS !
Dans ce tableau intitulé *Gazés !*, John Singer Sargent a peint l'horreur des gaz durant la guerre. Guidés par leurs camarades indemnes, les soldats aveuglés progressent lentement vers un poste de secours près d'Arras en août 1918.

Gaz lacrymogène

Phosgène et diphosgène

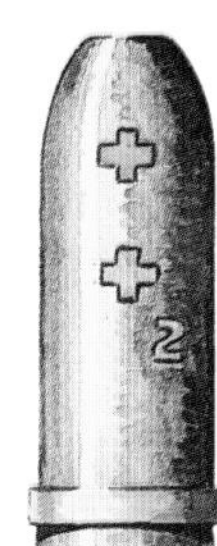

Diphosgène et ypérite

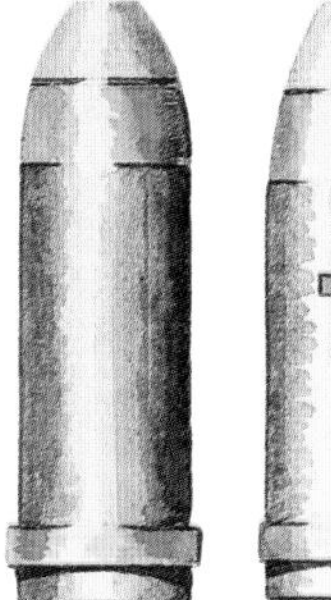

Diphosgène

Gaz moutarde (ypérite)

LES OBUS À GAZ
Ces obus contenaient un gaz liquide qui s'évaporait lors de l'impact. Les gaz provoquent différents troubles. Le chlore, le phosgène et le diphosgène causent des troubles respiratoires graves, le bromure de benzyle fait pleurer les yeux. Le dichloréthylsulfure brûle la peau, provoque des cloques et un aveuglement temporaire. Inhalé, il inonde les poumons et entraîne la mort par pneumonie.

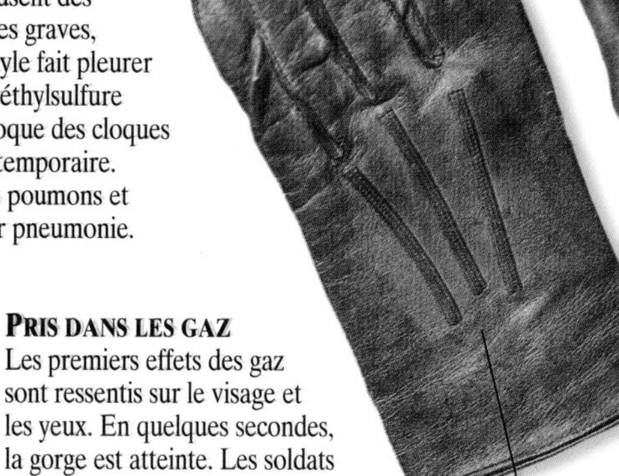

UN EFFET IRRÉVERSIBLE
Pour illustrer ce qui arrive aux tissus pulmonaires sous l'action des gaz, cette image de la rétraction d'un gant est la plus explicite.

PRIS DANS LES GAZ
Les premiers effets des gaz sont ressentis sur le visage et les yeux. En quelques secondes, la gorge est atteinte. Les soldats toussent et sont en état de choc, car le gaz tournoie autour d'eux. Les effets à long terme sont fonction du type de gaz employé. Certains soldats connurent une mort foudroyante, d'autres furent aveugles à vie, d'autres encore moururent à petit feu, leurs poumons, détruits, se remplissant de liquide. Le port du masque, les lunettes et un respirateur constituaient l'unique protection. Le major Tracy Evert a photographié ces soldats américains en 1918. Ils posaient pour illustrer les conséquences dramatiques de l'oubli du masque. Cette photo servait à former les nouvelles recrues.

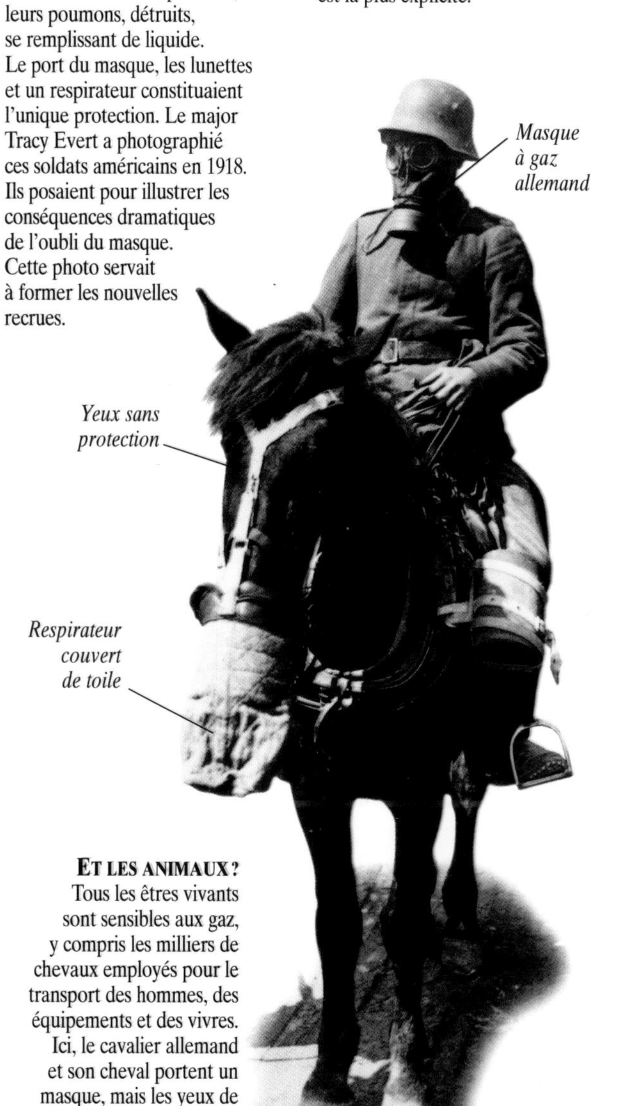

ET LES ANIMAUX ?
Tous les êtres vivants sont sensibles aux gaz, y compris les milliers de chevaux employés pour le transport des hommes, des équipements et des vivres. Ici, le cavalier allemand et son cheval portent un masque, mais les yeux de l'animal, sans protection, restent vulnérables.

TANNENBERG, 1914
En août 1914, la Ire et la IIe armée russe envahirent la Prusse-Orientale, dans le nord de l'Allemagne. Les Russes n'ayant pas codé leurs messages, les Allemands savaient à quoi s'attendre. La IIe armée, rapidement encerclée à Tannenberg, fut forcée de se rendre le 31 août. Elle perdit 150 000 hommes et toute son artillerie (ci-dessus).

LE FRONT DE L'EST

La Première Guerre mondiale est généralement associée dans nos mémoires à la guerre de position sur le front ouest. Cependant, de l'autre côté de l'Europe, un conflit tout aussi terrible et acharné opposa l'Allemagne et l'Autriche-Hongrie à la Russie. Cette guerre beaucoup moins statique mobilisa de grandes armées avançant et reculant sur plusieurs centaines de kilomètres dans de vastes plaines. Les armées austro-hongroise et russe, mal encadrées et sous-équipées, subirent des pertes terribles : dans la seule année 1915, les Russes perdirent deux millions d'hommes, dont un million de prisonniers. L'armée allemande, commandée par le général Hindenburg, était bien plus efficace. Fin 1916, malgré quelques succès du côté russe, les Allemands contrôlaient la totalité du front oriental. Le découragement des Russes joua un rôle important dans le déclenchement de la révolution russe, en 1917.

LES LACS DE MAZURIE, 1914
En septembre 1914, la Ire armée russe marchait sur la Mazurie, en Prusse-Orientale (actuellement en Pologne). Elle fut vite menacée d'encerclement, à l'instar de la IIe Armée, un mois plus tôt, à Tannenberg. Les Allemands, qui avaient creusé des tranchées et constru. des défenses (ci-dessus), attaquèrent les Russes. L'armée russe se retira, et elle perdit plus de 100 000 hommes, tués ou blessés. Fin septembre, la menace russe ne pesait plus sur l'Allemagne.

UN SUCCÈS INITIAL
En 1914, l'armée russe conquit Lvov, en Galicie, province orientale de l'Empire austro-hongrois, infligeant de lourdes pertes à l'Autriche-Hongrie. Mais en 1915, des renforts allemands (ci-dessus) repoussèrent les Russes jusqu'à leurs frontières.

E REFUS DE COMBATTRE
n 1916, et surtout après la révolution de février 1917, un grand nombre de ldats russes refusèrent de se battre. Mal traités, sous-équipés, mal nourris piètrement commandés, ils ne voulaient pas risquer leur vie dans cette erre à laquelle ils ne croyaient plus. Les officiers les menèrent au combat us la menace et des mutineries éclatèrent. Des milliers de soldats qui aient des paysans désertèrent : ils voulaient s'assurer du partage des terres.

Ci-dessous : des troupes russes sont en marche pour défendre la ville de Przemysl, en Galicie, qui vient d'être prise aux Autrichiens.

Le front italien

Le 23 mai 1915, l'Italie rejoignit les Alliés et se prépara à envahir son voisin, l'Autriche-Hongrie. Deux fronts se formèrent : l'un au nord, l'autre à l'est. L'Italie combattit au Trentin, province italophone annexée au Tyrol, et le long de l'Isonzo, à l'est. Mal préparée à la guerre, insuffisamment équipée, l'armée italienne eut beaucoup de mal à percer les défenses autrichiennes. Elle ne triompha qu'à la fin du conflit, à la bataille de Vittorio Veneto, le 27 octobre 1918.

L'Isonzo
L'Isonzo est le fleuve qui délimite la frontière naturelle entre les montagnes de l'Autriche-Hongrie (actuelle Slovénie) et les plaines du nord de l'Italie. De juin 1915 à août 1917, onze grandes batailles s'y déroulèrent sans résultat. En octobre 1917, les Austro-Allemands remportèrent la victoire de Caporetto.

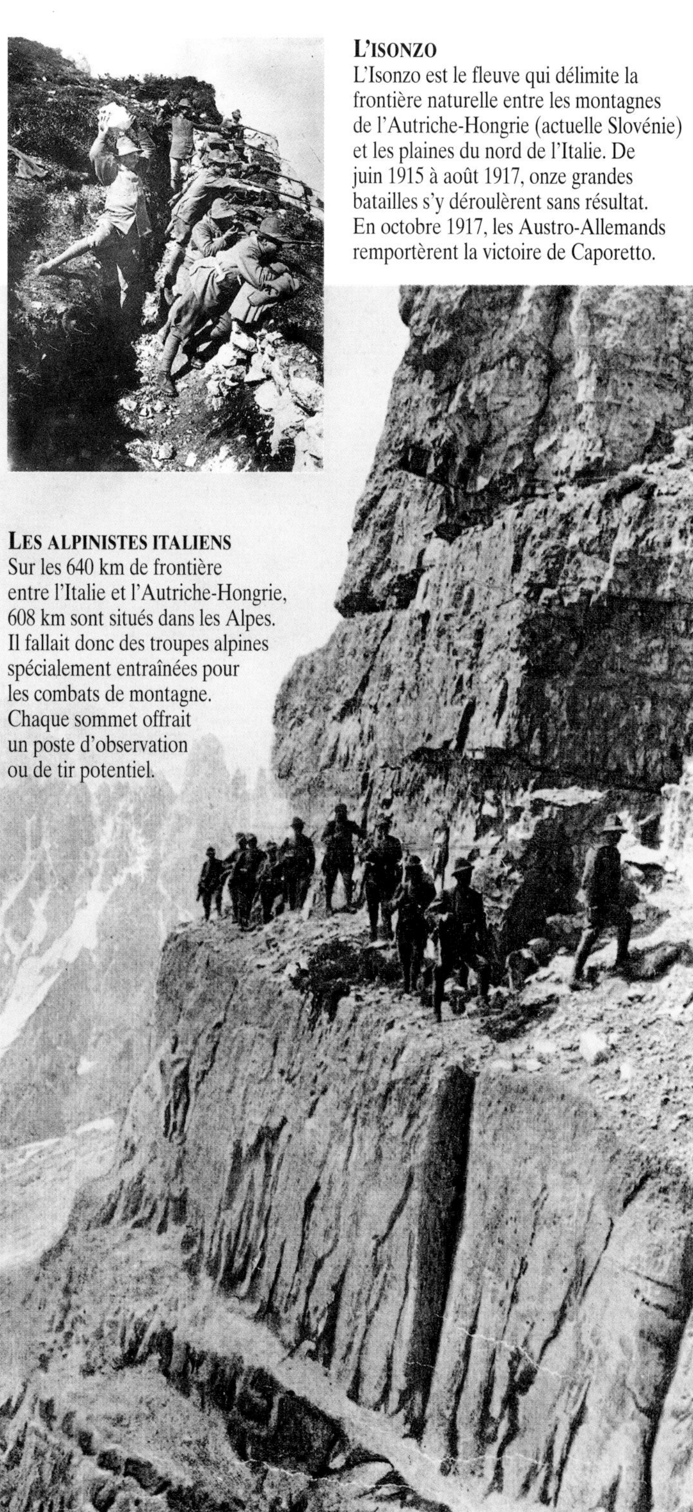

Les alpinistes italiens
Sur les 640 km de frontière entre l'Italie et l'Autriche-Hongrie, 608 km sont situés dans les Alpes. Il fallait donc des troupes alpines spécialement entraînées pour les combats de montagne. Chaque sommet offrait un poste d'observation ou de tir potentiel.

La guerre dans le désert

Par le jeu de la domination coloniale européenne dans le monde, les combats de la Première Guerre mondiale débordèrent le cadre européen et se déroulèrent aussi en Afrique et en Asie. Le Moyen-Orient fut le théâtre d'un conflit majeur : l'Empire ottoman perdit le contrôle de la Palestine, du Liban, de la Syrie, de l'Arabie et de la Mésopotamie (actuel Irak), au profit des Britanniques qui allaient désormais dominer la région et exploiter ses richesses en pétrole. De nombreux réfugiés, à commencer par les rescapés de l'extermination des Arméniens en 1915 et 1916, cherchaient un asile. En Arabie, les soldats bédouins, commandés par l'Anglais Thomas Edward Lawrence, profitèrent de la guerre pour se révolter contre la domination turque et créer un État arabe indépendant. En 1917, les Britanniques promirent aux Juifs dispersés et persécutés en Europe de l'Est la création d'un Foyer national juif en Palestine. La Grande Guerre fut le moment déclencheur des drames au Moyen-Orient.

Plastron dorsal
Le commandement britannique craignait les effets néfastes de la chaleur sur les soldats. Il conçut donc ce plastron à porter dans le dos pour se protéger du soleil. Lourd et inconfortable, il ne devait pas être très rafraîchissant.

Pistolet arabe à pierre

Fusil de T. E. Lawrence

Initiales de Lawrence

Retour au propriétaire
Le fusil du soldat britannique T. E. Lawrence fut l'une des nombreuses armes anglaises saisies par les Turcs à Gallipoli, en 1915. Il fut offert par le ministre turc de la Guerre, Enver Pacha, au chef arabe, l'émir Fayçal, qui en fit cadeau à Lawrence en décembre 1916.

Lawrence d'Arabie
Le soldat britannique T. E. Lawrence, connu sous le nom de Lawrence d'Arabie, est devenu un personnage légendaire. Son premier séjour au Moyen-Orient date de 1909. Lawrence parlait arabe. En 1914, il fut nommé officier de renseignements au Caire, en Egypte. Il assura ensuite la liaison avec l'émir Fayçal qui dirigea la révolte arabe contre l'Empire ottoman. Lawrence aida les Arabes à constituer une véritable armée de guérilla, faisant sauter les lignes de chemin de fer, attaquant les garnisons turques et mettant en échec une armée nettement supérieure en nombre.

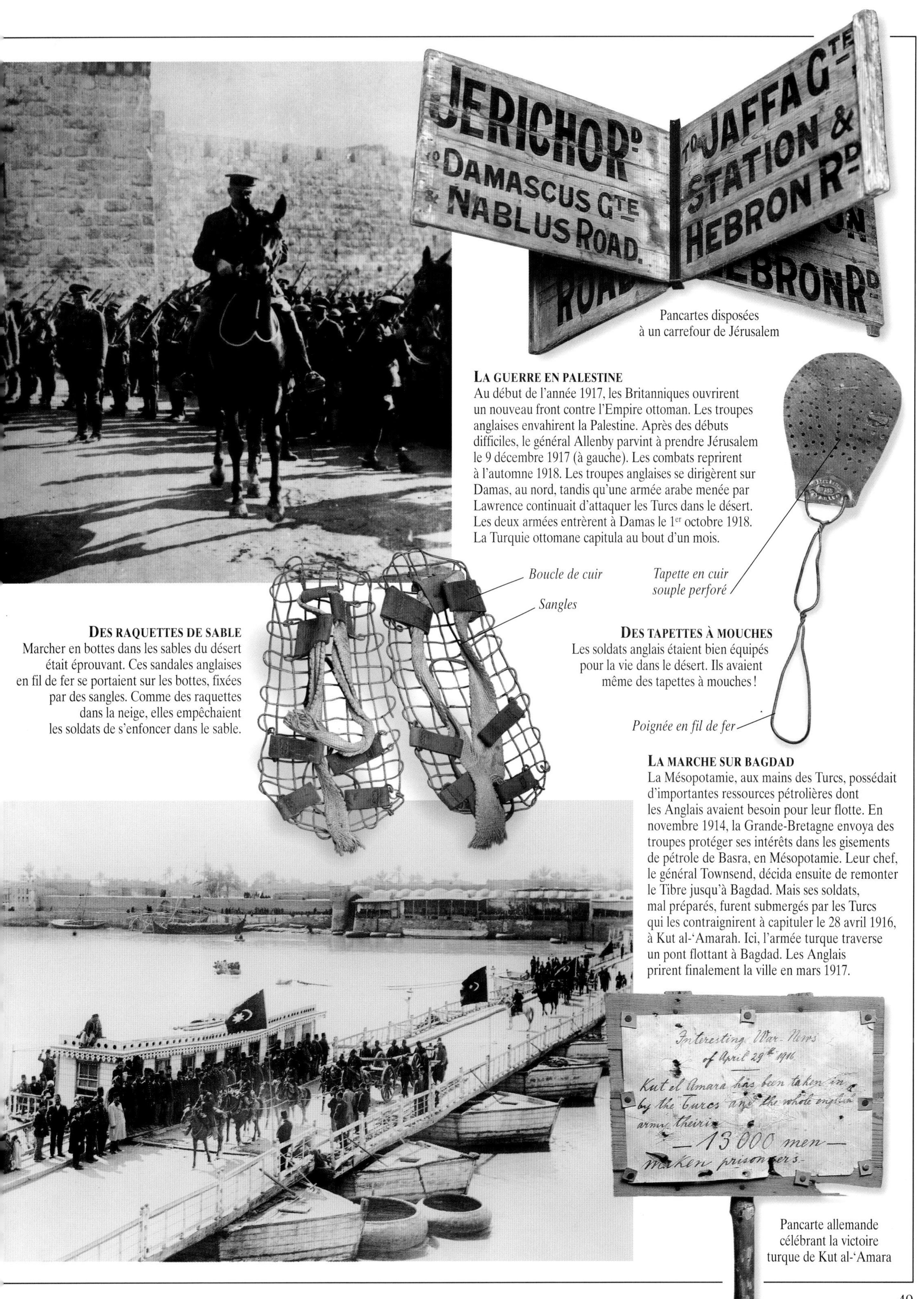
JERICHO Rd
TO DAMASCUS Gte
& NABLUS ROAD.
TO JAFFA Gte
STATION &
HEBRON Rd
Interesting War-News
of April 29th 1916
Kut el Amara has been taken in
by the Turcs and the whole english
army theirin
— 13 000 men —
taken prisoners.

Pancartes disposées à un carrefour de Jérusalem

La guerre en Palestine
Au début de l'année 1917, les Britanniques ouvrirent un nouveau front contre l'Empire ottoman. Les troupes anglaises envahirent la Palestine. Après des débuts difficiles, le général Allenby parvint à prendre Jérusalem le 9 décembre 1917 (à gauche). Les combats reprirent à l'automne 1918. Les troupes anglaises se dirigèrent sur Damas, au nord, tandis qu'une armée arabe menée par Lawrence continuait d'attaquer les Turcs dans le désert. Les deux armées entrèrent à Damas le 1er octobre 1918. La Turquie ottomane capitula au bout d'un mois.

Boucle de cuir

Sangles

Tapette en cuir souple perforé

Poignée en fil de fer

Des raquettes de sable
Marcher en bottes dans les sables du désert était éprouvant. Ces sandales anglaises en fil de fer se portaient sur les bottes, fixées par des sangles. Comme des raquettes dans la neige, elles empêchaient les soldats de s'enfoncer dans le sable.

Des tapettes à mouches
Les soldats anglais étaient bien équipés pour la vie dans le désert. Ils avaient même des tapettes à mouches !

La marche sur Bagdad
La Mésopotamie, aux mains des Turcs, possédait d'importantes ressources pétrolières dont les Anglais avaient besoin pour leur flotte. En novembre 1914, la Grande-Bretagne envoya des troupes protéger ses intérêts dans les gisements de pétrole de Basra, en Mésopotamie. Leur chef, le général Townsend, décida ensuite de remonter le Tibre jusqu'à Bagdad. Mais ses soldats, mal préparés, furent submergés par les Turcs qui les contraignirent à capituler le 28 avril 1916, à Kut al-'Amarah. Ici, l'armée turque traverse un pont flottant à Bagdad. Les Anglais prirent finalement la ville en mars 1917.

Pancarte allemande célébrant la victoire turque de Kut al-'Amara

L'ESPIONNAGE

De part et d'autre, on employait des centaines d'espions pour connaître les intentions et les capacités de l'ennemi. L'espionnage consistait principalement à essayer d'intercepter les messages. Les cryptographes élaboraient des codes très complexes pour assurer une transmission sûre des informations et ils mettaient tout leur art à déchiffrer les messages codés des ennemis. C'est ainsi que les services britanniques réussirent à décrypter le télégramme envoyé en janvier 1917 par le ministre allemand des Affaires étrangères, Zimmerman, qui poussait les Mexicains à déclarer la guerre aux États-Unis. Ce fut une des causes de l'entrée en guerre des États-Unis en avril 1917.

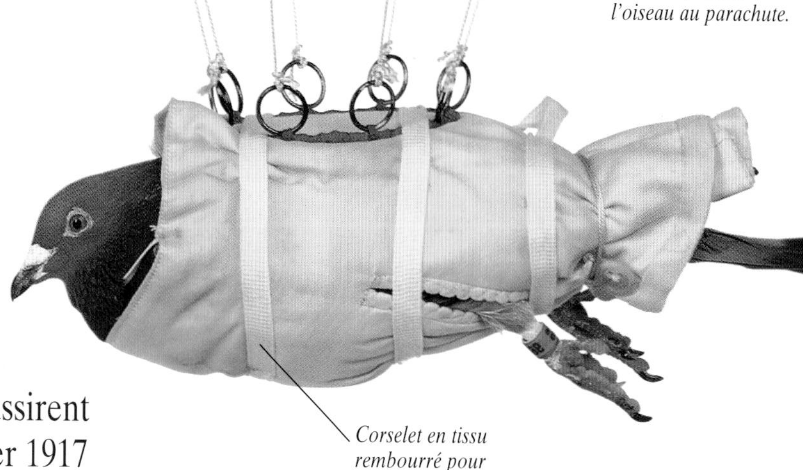
Des fils fins, mais résistants, relient l'oiseau au parachute.
Corselet en tissu rembourré pour protéger l'oiseau

LES PIGEONS VOYAGEURS
Plus de 500000 pigeons furent utilisés durant la guerre pour transmettre des messages entre les agents des services secrets et leurs chefs. Les pigeons étaient lâchés en parachute au-dessus des zones occupées. Les espions les récupéraient et s'en occupaient jusqu'à ce qu'ils aient des messages à envoyer. Une fois lâchés, les oiseaux revenaient à leur pigeonnier d'origine, un message attaché à la patte.

EDITH CAVELL
Née en Angleterre, Edith Cavell travailla comme gouvernante en Belgique dans les années 1890 avant de suivre une formation d'infirmière dans son pays. En 1907, elle ouvrit une école d'infirmières à Bruxelles (ci-dessus). Lorsque les Allemands occupèrent le pays en août 1914, elle hébergea jusqu'à 200 soldats anglais piégés derrière les lignes allemandes et qui auraient été faits prisonniers sans leur aide. Arrêtée par les Allemands, elle fut accusée d'avoir « mené des soldats à l'ennemi », c'est-à-dire permis à des soldats britanniques de retrouver leurs unités. Elle fut passée par les armes en octobre 1915. Son exécution fournit aux Alliés une arme de propagande contre les Allemands, qui ne respectaient rien, pas même les femmes !

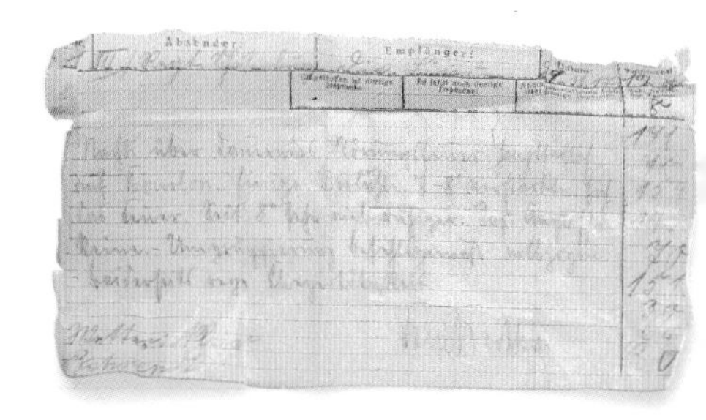
Absender: Empfänger:

EN MINIATURE
Les pigeons devaient porter des messages légers. Il fallait donc écrire sur de petites feuilles de papier, semblables à ce formulaire standard de l'armée allemande. Si le message était long, on pouvait le photographier avec un appareil spécial pour le réduire à la taille d'une microfiche, 300 fois plus petite que l'original.

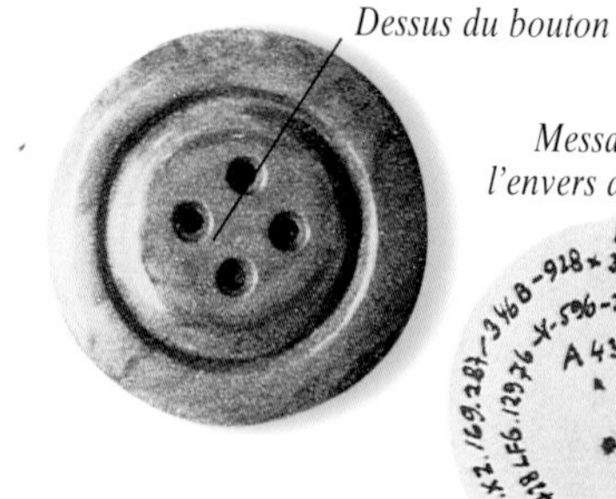
Dessus du bouton

Message codé à l'envers du bouton

DES BOUTONS SECRETS
Les messages codés pouvaient être écrits sur des supports minuscules, très discrets. Certains étaient ainsi gravés sur le dos de boutons que l'on cousait ensuite sur des manteaux.

ENCRE INVISIBLE
L'encre invisible servait à écrire des messages sur du papier. Pour lire le message, il suffisait d'employer un produit chimique, le révélateur.

Encre invisible allemande et éponge

Flacon d'encre invisible

Capuchon

Objectif

Déclencheur

UN APPAREIL MINIATURE
Les espions utilisaient ces appareils photographiques cachés dans la poche ou déguisés en montre de gousset. Celui-ci a servi en Afrique orientale allemande (actuelle Tanzanie).

LIRE L'ENNEMI
Les officiers de renseignements, comme ce soldat anglais, jouaient un rôle essentiel en examinant et en déchiffrant tous les documents pris à l'ennemi. Grâce à ce travail de fourmi, les états-majors étaient prévenus des préparatifs adverses et des attaques projetées. Ils étaient aussi tenus au courant du moral des civils.

DES MESSAGES CACHÉS
Parfois, les espions se faisaient prendre, comme ces deux agents secrets envoyés des Pays-Bas à Portsmouth, en Angleterre, pour faire de l'espionnage pour le compte des Allemands, sous couvert d'importer des cigares. Les bons de commande de cigares hollandais étaient codés de manière à transmettre leurs observations sur les mouvements des navires à Portsmouth. Arrêtés, ils furent exécutés en 1915.

Cigares ouverts afin de rechercher des messages

UN NÉCESSAIRE D'ÉVASION
Cette boîte, qui aurait dû contenir de la langue de bœuf, fut envoyée en 1918 au lieutenant britannique Jack Shaw, au camp de prisonniers d'Holzminden, en Allemagne. Elle renfermait des cartes, une pince coupante et une boussole pour aider Shaw à organiser une évasion massive de son camp.

Carte de France enroulée

Poids de plomb pour que la boîte ait un poids normal

Boussole

MATA HARI
Margaretha Zelle, célèbre danseuse d'origine néerlandaise, est plus connue sous le pseudonyme de Mata Hari. Elle collectionnait les amants haut placés, ce qui lui permit de transmettre aux services secrets les informations confidentielles qu'elle recueillait. Recrutée par les services secrets français en 1914, alors qu'elle dansait à Paris, elle se rendit à Madrid, où elle tenta de conquérir un diplomate allemand. Ce dernier la trahit en lui fournissant de fausses informations. De retour en France, elle fut arrêtée, jugée et déclarée coupable d'être un agent allemand. Elle fut fusillée en octobre 1917.

Les chars de combat

Le char, qui fut mis au point par les Britanniques, d'où le nom de « tank », fut une grande innovation. Si le tank anglais entra en action en septembre 1916, les premiers modèles n'étaient pas très fiables. Il fallut attendre novembre 1917 et la bataille de Cambrai pour qu'ils deviennent opérationnels : une armée de chars parvint à écraser les barbelés, à franchir les tranchées ennemies et à couvrir l'avancée des fantassins. Les chars jouèrent un rôle prépondérant dans les offensives des Alliés tout au long de l'année 1918, d'autant que les Allemands, eux, n'ont pas cru alors à cette nouveauté… pourtant appelée à un grand avenir.

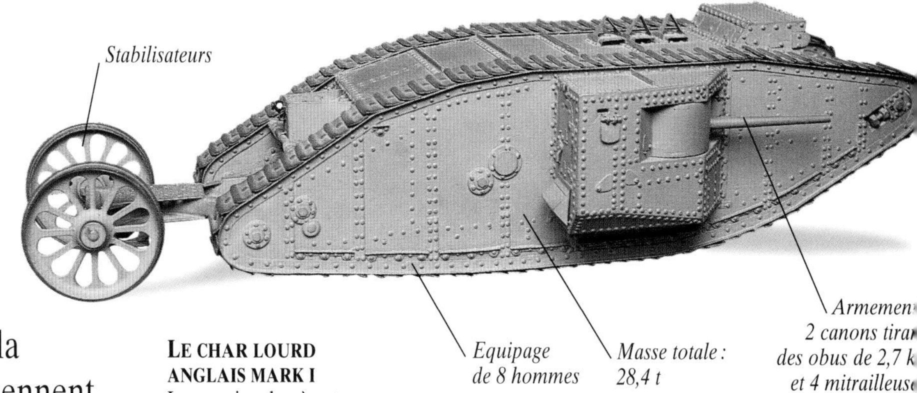

Le char lourd anglais Mark I
Le premier char à entrer dans les combats fut le Mark I anglais. Au total, 49 chars étaient prêts à intervenir lors de la bataille de la Somme, le 15 septembre 1916, mais 18 seulement étaient suffisamment fiables pour être utilisés.

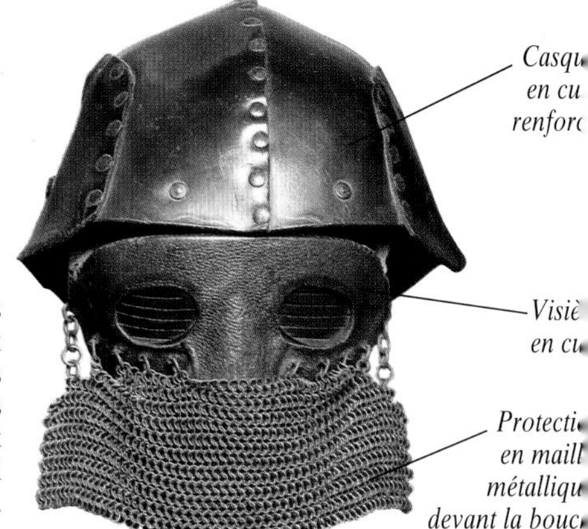

L'équipement de survie
Les équipages anglais portaient des casques de cuir, des masques faciaux à visière et des filets en mailles métalliques pour protéger leur tête des particules de métal brûlant qui pouvaient se détacher des parois du char lorsqu'il était touché par le feu de l'ennemi.

Char allemand A7V

Char A7V
Le seul char allemand construit pendant la guerre fut l'énorme A7V, une machine de guerre de 33,5 t dotée de 6 mitrailleuses et de 18 hommes d'équipage. Vingt A7V seulement furent construits et leur apparition au printemps 1918 fut trop tardive pour jouer un rôle décisif dans la guerre.

Char anglais Mark V

INTÉRIEUR D'UN CHAR DE COMBAT
Séjourner dans un char de combat était très inconfortable : l'air y était chaud et enfumé, l'intérieur mal ventilé. Souvent, les hommes étaient malades et s'évanouissaient. Parfois, la chaleur intense faisait exploser les munitions.

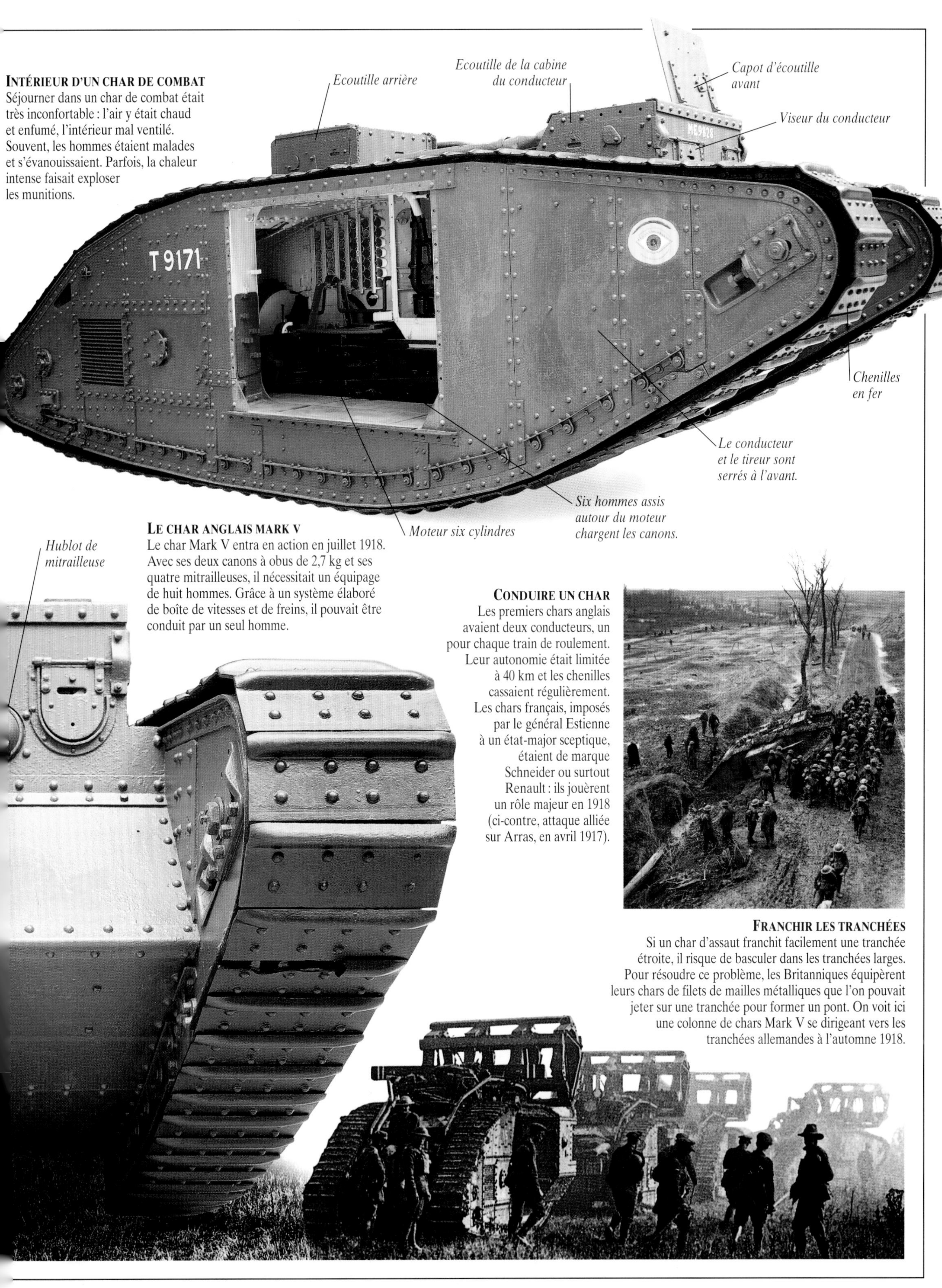

LE CHAR ANGLAIS MARK V
Le char Mark V entra en action en juillet 1918. Avec ses deux canons à obus de 2,7 kg et ses quatre mitrailleuses, il nécessitait un équipage de huit hommes. Grâce à un système élaboré de boîte de vitesses et de freins, il pouvait être conduit par un seul homme.

CONDUIRE UN CHAR
Les premiers chars anglais avaient deux conducteurs, un pour chaque train de roulement. Leur autonomie était limitée à 40 km et les chenilles cassaient régulièrement. Les chars français, imposés par le général Estienne à un état-major sceptique, étaient de marque Schneider ou surtout Renault : ils jouèrent un rôle majeur en 1918 (ci-contre, attaque alliée sur Arras, en avril 1917).

FRANCHIR LES TRANCHÉES
Si un char d'assaut franchit facilement une tranchée étroite, il risque de basculer dans les tranchées larges. Pour résoudre ce problème, les Britanniques équipèrent leurs chars de filets de mailles métalliques que l'on pouvait jeter sur une tranchée pour former un pont. On voit ici une colonne de chars Mark V se dirigeant vers les tranchées allemandes à l'automne 1918.

LES ÉTATS-UNIS ENTRENT EN GUERRE

Lorsque la guerre éclata en Europe, en août 1914, les États-Unis restèrent neutres. Ce pays était profondément divisé par le conflit, car nombre de ses habitants étaient des émigrants, arrivés parfois récemment, de l'un ou l'autre camp. Lorsque les sous-marins allemands se mirent à couler des navires américains, l'opinion commença à prendre position contre l'Allemagne. En février 1917, l'Allemagne décida d'attaquer tous les navires étrangers pour briser son blocus. Elle essaya également de détourner l'attention des États-Unis de l'Europe en encourageant le Mexique à envahir son voisin. Les États-Unis avaient aussi prêté énormément d'argent aux Alliés et ils risquaient de le perdre. Le président Wilson déclara la guerre à l'Allemagne, donnant au conflit une dimension mondiale.

L'ONCLE SAM
L'artiste James Montgomery Flagg posa pour figurer l'oncle Sam, personnage emblématique de l'Américain. Son attitude est calquée sur celle du ministre britannique de la Guerre, Kitchener, sur une affiche de recrutement (p. 14). Sous son doigt pointé, on peut lire : « Je vous veux pour l'armée des États-Unis. »

Médaille anglais évoquant l'idée que l'attaque du SS *Lusitania* éta programmée.

LE SS « LUSITANIA »
Le 7 mai 1915, le paquebot SS *Lusitania*, qui se rendait de New York à Liverpool, fut coulé au large des côtes irlandaises par des torpilles allemandes. Ce navire était soupçonné de transporter des munitions. Les trois quarts des passagers moururent noyés. Parmi eux se trouvaient 128 citoyens américains. Cet événement contribua à retourner l'opinion américaine contre l'Allemagne, en faveur des Alliés.

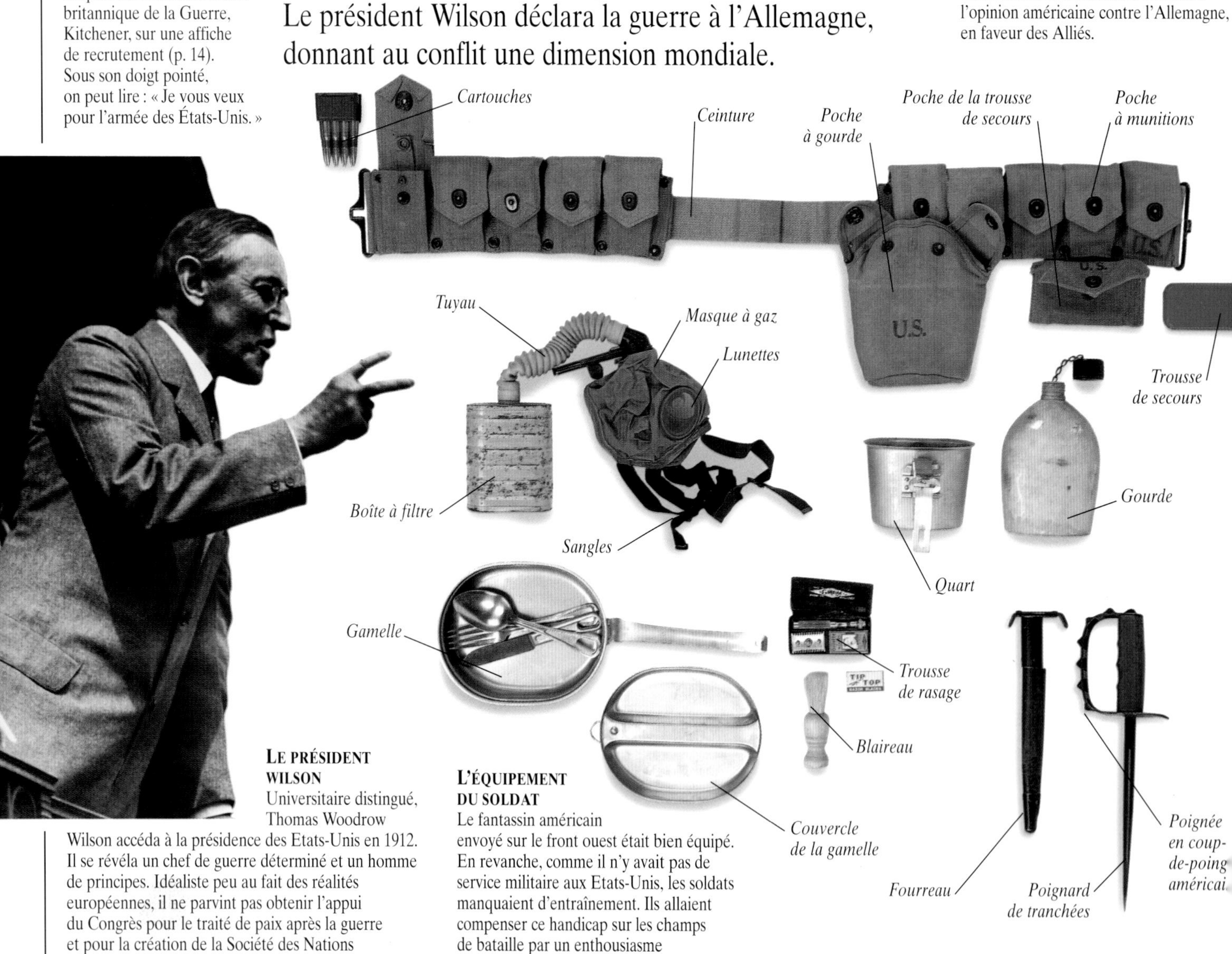

LE PRÉSIDENT WILSON
Universitaire distingué, Thomas Woodrow Wilson accéda à la présidence des Etats-Unis en 1912. Il se révéla un chef de guerre déterminé et un homme de principes. Idéaliste peu au fait des réalités européennes, il ne parvint pas obtenir l'appui du Congrès pour le traité de paix après la guerre et pour la création de la Société des Nations qui devait empêcher tout nouveau conflit armé. En 1919, il se vit décerner le prix Nobel de la paix.

L'ÉQUIPEMENT DU SOLDAT
Le fantassin américain envoyé sur le front ouest était bien équipé. En revanche, comme il n'y avait pas de service militaire aux Etats-Unis, les soldats manquaient d'entraînement. Ils allaient compenser ce handicap sur les champs de bataille par un enthousiasme qu'avaient perdu les soldats européens au bout de trois ans de guerre.

E FEU DU CANON
a Ire armée américaine entra en action
ı 12 au 16 septembre 1918 à Saint-
ihiel, au sud de Verdun, lors d'une
taque alliée contre les lignes
lemandes. Voici une équipe
artilleurs avec un canon de 75 mm.
ne douille d'obus est éjectée du canon.

LES HÉROS
Décoration militaire américaine instituée en 1918, la *Distinguished Service Cross* (croix du Mérite) fut attribuée pour les actes de bravoure face à l'ennemi.

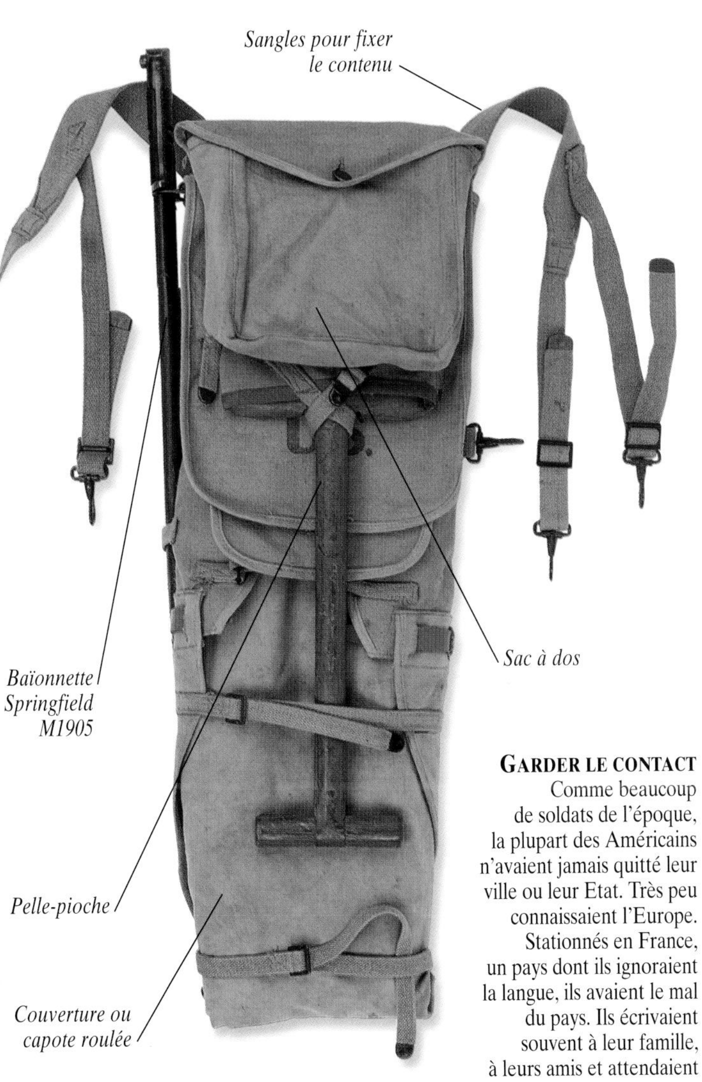

Equipement porté sur le dos par l'infanterie américaine

GARDER LE CONTACT
Comme beaucoup de soldats de l'époque, la plupart des Américains n'avaient jamais quitté leur ville ou leur Etat. Très peu connaissaient l'Europe. Stationnés en France, un pays dont ils ignoraient la langue, ils avaient le mal du pays. Ils écrivaient souvent à leur famille, à leurs amis et attendaient les lettres, les cartes postales, les colis de nourriture.

Sous les lignes ennemies

Sur le front ouest, les armées restaient le plus souvent face à face, terrées dans leurs tranchées fortifiées. Ces défenses massives étaient difficiles à renverser, il fallait donc trouver des moyens pour y parvenir. Les armées recrutèrent comme sapeurs des mineurs et des ouvriers du métro, spécialistes du forage des tunnels. Ceux-ci creusaient sous les lignes ennemies, puis remplissaient les galeries d'explosifs prêts à être mis à feu à la première attaque. Ils creusaient aussi des tunnels pour détruire ceux de l'ennemi avant qu'ils ne soient achevés. Parfois, les sapeurs se rencontraient et se livraient à des combats souterrains. Lors de la bataille de la Somme, le 1er juillet 1916, les Anglais firent exploser de grandes mines, mais cette technique fut surtout utilisée sous les collines de Messines, au début de la bataille de Passendale en 1917.

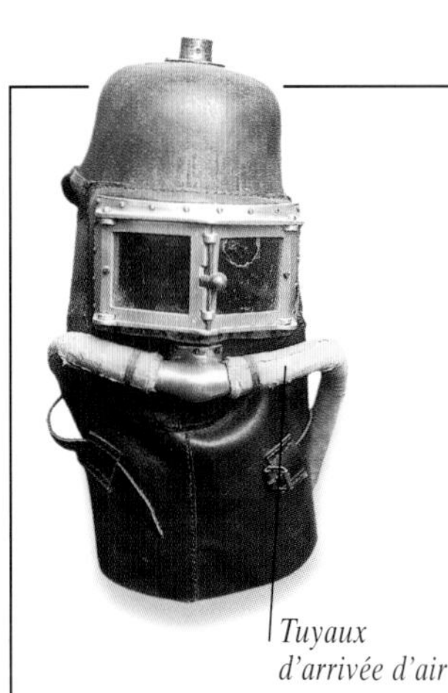

Les secours
Une attaque au gaz ou une explosion d'obus près de l'entrée d'un tunnel pouvait le remplir de fumée et asphyxier les hommes qui s'y trouvaient. Ce respirateur allemand était utilisé par les équipes de secours.

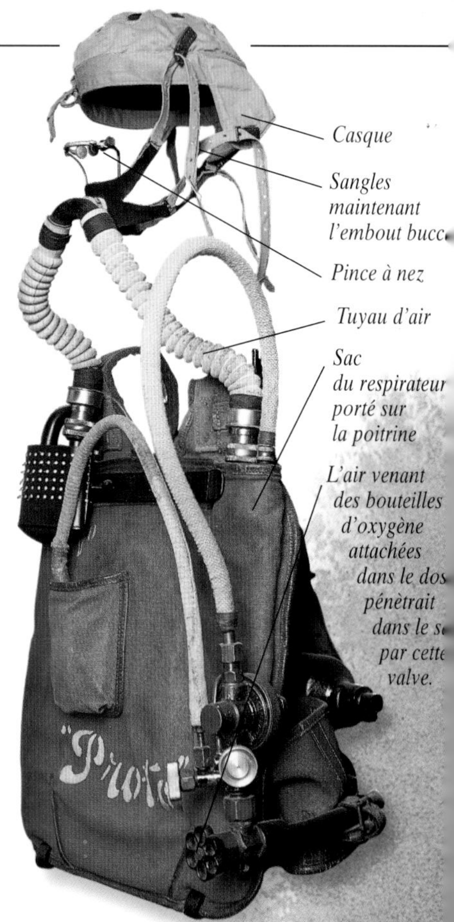

Respirateur artificiel
Le respirateur anglais ressemble au dispositif allemand (à gauche). L'oxygène comprimé contenu dans le sac était distribué au mineur par le tuyau d'air pour l'aider à respirer.

Les sapeurs au travail
L'artiste britannique David Bomberg a peint les sapeurs du *Royal Engineers* en train de creuser et de renforcer une tranchée souterraine. Les sapeurs vérifiaient la solidité des tranchées et des tunnels afin de limiter les risques d'éboulement.

En arrière-plan : mine britannique explosant sous les lignes allemandes lors de la bataille de la Somme. L'écrivain français Roland Dorgelès a raconté l'horreur des mines dans son roman *Les Croix de bois.*

« C'est horrible. Souvent, on préférerait être mort, il n'y a aucun abri, nous sommes couchés dans l'eau, [...] nos vêtements ne sèchent pas. »

SOLDAT ALLEMAND, PASSENDALE, 1917

UN TERRAIN IMBIBÉ D'EAU
Le niveau de l'eau autour d'Ypres était très élevé. Les tranchées étaient construites au-dessus du sol, en empilant de la terre et des sacs de sable. Malgré cela, elles étaient perpétuellement inondées. Il fallait sans cesse pomper les tranchées et les tunnels, comme le font ces sapeurs australiens à Hooge, en Belgique, en septembre 1917.

LA BATAILLE DE PASSENDALE

En 1917, les Anglais organisèrent une attaque massive contre le front allemand autour d'Ypres (Belgique). Ils voulaient reprendre les ports de la Manche que les Allemands utilisaient comme bases sous-marines. La bataille de Messines commença le 7 juin 1917. Après un gigantesque bombardement d'artillerie, 19 mines remplies d'un million de tonnes d'explosifs explosèrent simultanément sous les lignes allemandes, dans les collines de Messines. La déflagration s'entendit jusqu'à Paris et Londres. Messines tomba rapidement aux mains des Anglais qui ne parvinrent cependant pas à prendre l'avantage de façon décisive. Les conditions épouvantables de cette bataille la firent surnommer le « Verdun britannique ». On se battait et on mourait de trou d'eau en trou d'eau et, paradoxalement, on y mourait aussi de soif.

DANS LE BOURBIER
De fortes pluies alliées aux bombardements d'obus transformèrent Passendale en un sinistre bain de boue. Beaucoup de blessés y moururent, incapables de se dégager de ce marécage. Il était très difficile de transporter des hommes en civière jusqu'aux postes de secours.

Ci-dessous : des troupes britanniques avançant sur un terrain défoncé par les obus, lors de la bataille de Passendale

L'ANNÉE DÉCISIVE

Au début de l'année 1918, la guerre semblait tourner à l'avantage de l'Allemagne et de ses alliés. La Russie s'était retirée des combats, mais l'Allemagne n'eut pas le temps de concentrer toutes ses troupes sur le front de l'ouest avant l'arrivée des troupes américaines. Aussi, en mars, une vaste offensive conduisit les Allemands à 64 km de Paris. Mais l'Allemagne était épuisée par son effort de guerre et par le blocus, maintenu par les Alliés, qui la privait de tout approvisionnement extérieur. Les troupes allemandes avaient faim. À l'arrière, des grèves éclataient. Ailleurs, la Turquie ottomane et la Bulgarie s'écroulaient face aux attaques alliées, tandis que les Italiens marquaient une victoire décisive sur l'Autriche-Hongrie. Début novembre, les Allemands étaient seuls. Le 7 novembre, une délégation allemande traversa le front pour discuter des conditions de paix avec les Alliés. La guerre touchait à sa fin, le sol allemand était resté indemne.

UN NOUVEAU CHEF
En octobre 1917, Lénine, chef du parti bolchevik, prit le pouvoir en Russie. Opposé à la guerre, il donna immédiatement l'ordre de cesser le feu.

Soldats allemands et russes fêtant le cessez-le-feu sur le front oriental, 1917

LA RUSSIE SE RETIRE

Plus la guerre avançait, plus le gouvernement russe devenait impopulaire. L'armée était démoralisée par ses défaites successives. Début 1917, les soldats russes et allemands fraternisèrent sur le front oriental. En février 1917, la révolution renversa le tsar, mais le nouveau gouvernement poursuivit la guerre. En octobre, une seconde révolution porta les bolcheviks au pouvoir. Un accord de cessez-le-feu fut conclu avec l'Allemagne. Le 3 mars 1918, la Russie signait le traité de Brest-Litovsk et se retirait de la guerre.

Troupes françaises et britanniques en action lors de l'offensive Ludendorff

L'OFFENSIVE LUDENDORFF
Le 21 mars 1918, le général Ludendorff lança une gigantesque attaque sur le front ouest. Il voulait battre l'Angleterre et la France avant l'arrivée des Etats-Unis. Cette attaque surprit les Alliés et créa une brèche de 20 km entre les deux armées alliées, au prix de 500000 tués et blessés.

8 janvier Le président Wilson présente son programme en « 14 points » pour la paix.
3 mars Traité de Brest-Litovsk : la Russie se retire de la guerre.
21 mars Grande offensive allemande Ludendorff sur le front ouest.
15 juillet Dernière offensive allemande sur le front ouest.
18 juillet Les Français contre-attaquent sur la Marne.
8 août Les Anglais lancent une offensive près d'Amiens.
12 septembre Les Américains lancent une offensive à Saint-Mihiel.
14 septembre Les Alliés attaquent les Bulgares à Salonique.
27 septembre Les alliés commencent à percer la ligne Hindenburg.
28 septembre Ludendorff demande au Kaiser Guillaume II de solliciter l'arrêt

Soldat français identifiant un mort allemand avant de l'enterrer

La 2e bataille de la Marne
Le 18 juillet 1918, les forces françaises et américaines, conduites par le général Foch (promu maréchal en août), contre-attaquèrent du Chemin des Dames à la Marne, à l'est de Paris. Elles parvinrent à arrêter l'avancée de l'ennemi et à le repousser vers l'est. Le 6 août, les Allemands avaient perdu 168000 hommes et des milliers de prisonniers. Ce combat fut décisif : les armées alliées commençaient à prendre le dessus.

Percer les lignes ennemies
Le 8 août 1918, Foch, et les 16 divisions américaines de Pershing, lança une contre-offensive à Villers-Cotterêts, puis en Picardie, obligeant le Allemands à battre en retraite sur Gand. Le 29 septembre, une division anglaise du *North Midlands* prit le pont de Riqueval, sur le canal de Saint-Quentin. Pour célébrer cette victoire, les solats anglais et australiens se massèrent sur les bords du canal pour une photo-souvenir.

Les plus jeunes Français ne se rappelaient plus ce qu'était la vie avant l'occupation allemande.

A l'arrière-plan : troupes allemandes marchant sur la Somme, en avril 1918

Un enfant français marche aux côtés de l'armée alliée.

Les derniers jours
Le 5 octobre, les armées alliées avaient entièrement brisé la ligne Hindenburg et avançaient en terrain découvert. Les pertes furent énormes de part et d'autre, à mesure que l'armée allemande était repoussée vers l'est. Les Britanniques et les Français reprirent des villes perdues en 1914, dont Lille (à gauche) et, début novembre 1918, Mons, où les premiers coups de feu de la guerre avaient été tirés, en août 1914.

les combats : son armée est en déroute.
29 septembre La Bulgarie demande la paix.
1er octobre Les Anglais prennent Damas, aux mains des Turcs ottomans.
5 octobre Le gouvernement allemand engage des négociations pour l'armistice.
21 octobre La Tchécoslovaquie proclame son indépendance.
27 octobre L'Italie engage la bataille décisive de Vittorio Veneto contre l'Autriche-Hongrie.
29 octobre Mutinerie des marins allemands.
30 octobre La Turquie accepte l'armistice.
3 novembre L'Autriche-Hongrie accepte l'armistice.
9 novembre Le Kaiser abdique.
11 novembre L'armistice signé entre les Allemands et les Alliés marque la fin de la guerre.

LE WAGON DES NÉGOCIATIONS
Le 7 novembre 1918, une délégation allemande conduite par Matthias Erzberger traversa la ligne de front pour rencontrer le commandant en chef des Alliés, le maréchal Foch, dans un wagon de chemin de fer à Rethondes, dans la forêt de Compiègne, au nord de Paris. A 5 h du matin, le 11 novembre, les deux parties signèrent l'armistice.

L'ARMISTICE ET LA PAIX

Le 11e jour du 11e mois de l'année 1918, à 11 h, les canons se turent en Europe, après plus de quatre ans de guerre. L'Allemagne demanda l'armistice : elle ne capitula pas, mais ses soldats se rendirent en masse et sa marine connut une vaste mutinerie. L'empereur Guillaume II abdiqua le 9 novembre. Le traité de paix, en 1919, dessinait une nouvelle carte de l'Europe et obligeait l'Allemagne à payer de lourdes réparations aux Alliés ; son armée fut restreinte, elle perdit une grande partie de son territoire et toutes ses colonies. La France récupéra l'Alsace-Lorraine. Décidés à trouver un coupable, les vainqueurs humilièrent l'Allemagne et dépecèrent l'Autriche-Hongrie.

LES POPULATIONS DÉPLACÉES
Des populations, comme ces Lituaniens, avaient été déplacées durant la guerre. La fin des hostilités permit à des milliers de réfugiés – principalement français, belges, italiens et serbes – dont la région avait été occupée, de regagner leurs provinces libérées. De plus, 6,5 millions de prisonniers de guerre durent être rapatriés. Les civils furent des victimes exemplaires de la guerre, ils connurent toutes les formes de la guerre totale.

The New York Times.

"All the News That's Fit to Print."

ARMISTICE SIGNED, END OF THE WAR! BERLIN SEIZED BY REVOLUTIONISTS; NEW CHANCELLOR BEGS FOR ORDER; OUSTED KAISER FLEES TO HOLLAND

WAR ENDS AT 6 O'CLOCK THIS MORNING

The State Department in Washington Made the Announcement at 2:45 o'Clock.

ARMISTICE WAS SIGNED IN FRANCE AT MIDNIGHT

Terms Include Withdrawal from Alsace-Lorraine, Disarming and Demobilization of Army and Navy, and Occupation of Strategic Naval and Military Points.

GERMAN DYNASTIES BEING WIPED OUT

MORE WARSHIPS JOIN THE REDS

RÉPANDRE LA NOUVELLE
La nouvelle de l'armistice fit le tour du monde en quelques minutes. Les journaux et les télégrammes la transmirent aussitôt, tandis que les gens descendaient dans la rue pour annoncer la nouvelle à leurs voisins.

VIVE LA PAIX !
A Paris (ci-dessous), soldats français, anglais et américains se mêlèrent à la population pour un défilé improvisé. A Londres, les femmes et les enfants dansaient dans la rue, tandis que les hommes se préparaient à rentrer chez eux. De leur côté, les Allemands furent déçus par la défaite mais, comme leurs adversaires, soulagés que les combats soient enfin terminés.

LA SIGNATURE DU TRAITÉ
Ces soldats qui observent la signature du traité de Versailles attendent ce moment depuis longtemps. Les Alliés discutent avec leurs homologues allemands depuis janvier 1919. Les Américains veulent un traité équitable et juste, garantissant la démocratie et la liberté pour tous les peuples, tandis que les Français et, dans une moindre mesure, les Anglais veulent garder une Allemagne faible et divisée. Les négociations frisèrent la rupture à plusieurs reprises avant qu'un accord soit trouvé, en juin 1919.

E TRAITÉ DE VERSAILLES
e traité de paix fut signé dans la galerie des Glaces u château de Versailles, le 28 juin 1919. Ce tableau e sir William Orpen montre les quatre chefs alliés egardant la délégation allemande signer le traité ui mettait fin à la puissance impériale allemande n Europe, 48 ans après la proclamation de l'Empire llemand dans cette même galerie en 1871.

LES TRAITÉS DE PAIX
Après le traité de Versailles, les Alliés signèrent des traités avec l'Autriche (septembre 1919), la Bulgarie (novembre 1919), la Hongrie (juin 1920) et la Turquie (août 1920). Les frontières de l'Europe furent ainsi redessinées : les quatre Empires (allemand, russe, ottoman, austro-hongrois) disparurent, laissant la place à de nombreux petits Etats et à une myriade de nouveaux problèmes.

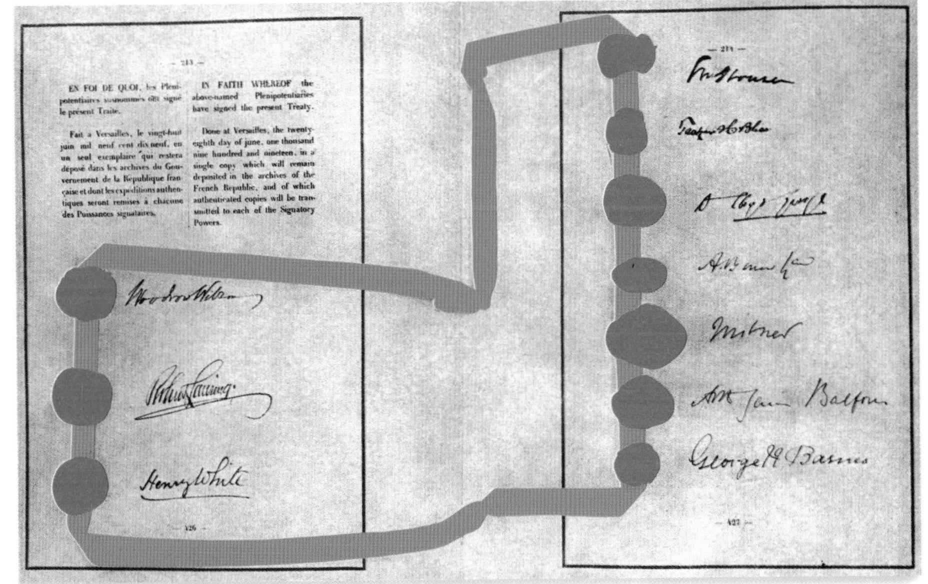

EN FOI DE QUOI, les Plenipotentiaires susnommés ont signé le présent Traité.

Fait à Versailles, le vingt-huit juin mil neuf cent dix-neuf, en un seul exemplaire qui restera déposé dans les archives du Gouvernement de la République française et dont les expéditions authentiques seront remises à chacune des Puissances signataires.

IN FAITH WHEREOF the above-named Plenipotentiaries have signed the present Treaty.

Done at Versailles, the twenty-eighth day of june, one thousand nine hundred and nineteen, in a single copy which will remain deposited in the archives of the French Republic, and of which authenticated copies will be transmitted to each of the Signatory Powers.

Le traité de Versailles

LES ALLIÉS VICTORIEUX
Les négociations de Paris furent menées par Georges Clemenceau, Premier ministre français – avec l'aide du maréchal Foch –, David Lloyd George, Premier ministre anglais, Vittorio Orlando, Premier ministre italien – que l'on voit ici avec le ministre des Affaires étrangères Giorgio Sonnino – et Thomas Woodrow Wilson, président des Etats-Unis. Le Conseil des Quatre décida des grandes lignes du traité de paix.

UNE POPULATION DÉCIMÉE
Un soldat se recueille sur les collines de Pilckem, durant la bataille de Passendale, en août 1917. La croix rudimentaire témoigne d'une tombe creusée à la hâte. De nombreuses dépouilles, englouties dans la boue, demeurèrent sans sépulture.

LE COÛT DE LA GUERRE

Le coût de la Première Guerre mondiale en vies humaines est inimaginable. Plus de 65 millions d'hommes prirent part aux combats, dont plus de la moitié furent tués ou blessés – 8 millions tués au combat, 2 millions morts de maladies, 21,2 millions blessés et 7,8 millions prisonniers ou disparus. De plus, environ 6,6 millions de civils moururent. Dans toutes les nations combattantes, on était en deuil. Dans les zones devenues champs de bataille, des villages entiers furent rayés de la carte, villes et industries étaient entièrement à reconstruire.

Les économies européennes étaient ruinées, de ce fait les États-Unis émergèrent comme première puissance mondiale. Les peuples espéraient ne plus jamais connaître une telle barbarie et que cette guerre serait bel et bien la dernière, « la der des ders »...

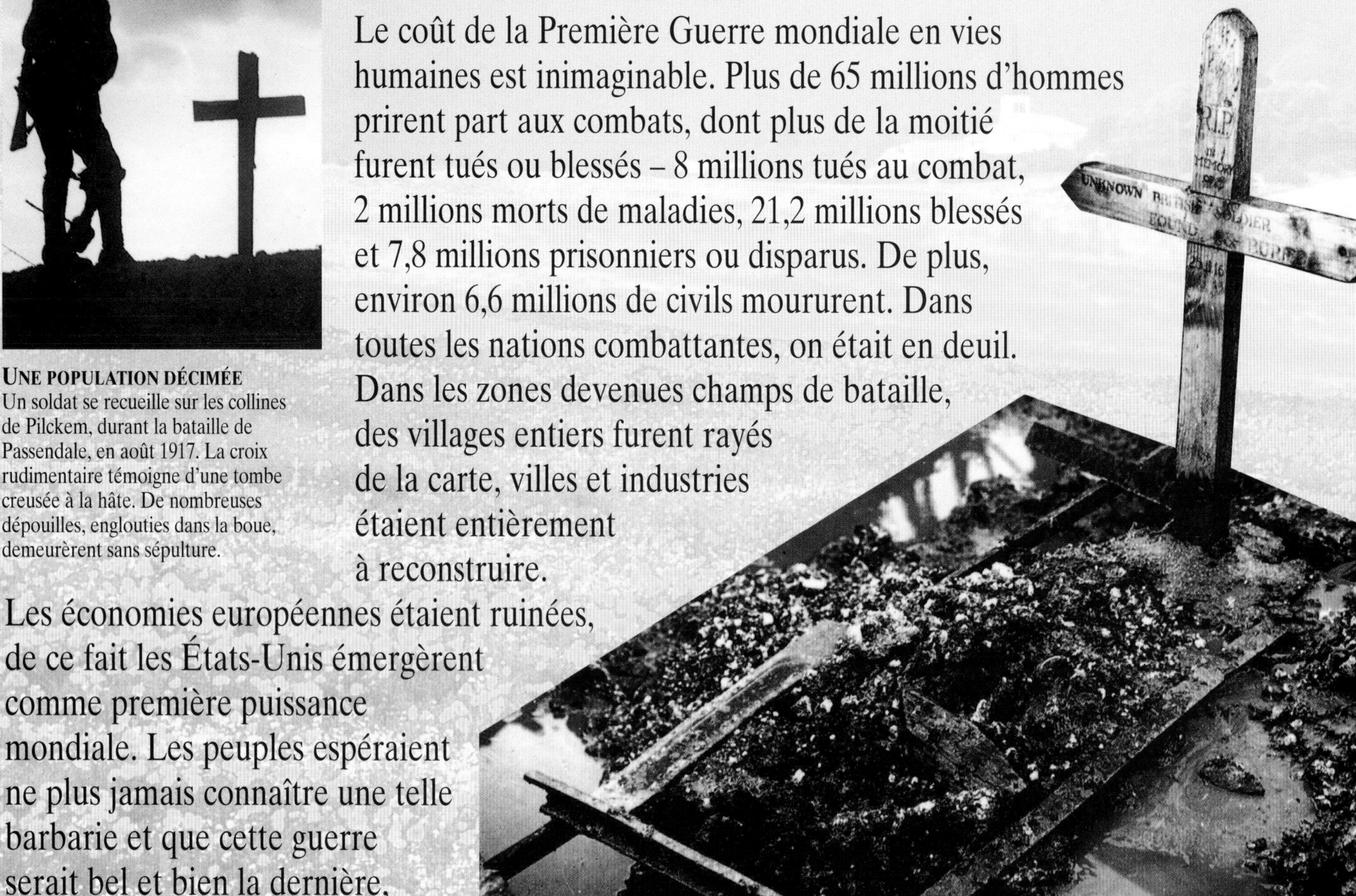

LE SOLDAT INCONNU
De nombreux morts étaient tellement défigurés qu'il fut impossible de les identifier. Des milliers furent portés disparus, présumés morts. En France et en Angleterre, on érigea une tombe en l'honneur des soldats inconnus morts à la guerre, à l'Arc de Triomphe à Paris et à l'abbaye de Westminster à Londres.

LES SÉQUELLES DE LA GUERRE
La guerre laissa des milliers de soldats défigurés et handicapés à jamais. La chirurgie put, dans certains cas, leur rendre figure humaine. Certaines « gueules cassées » portèrent à vie un masque ou une prothèse. Des membres artificiels furent mis au point pour redonner un peu de mobilité aux mutilés. Les horreurs de la guerre furent à jamais fichées dans les corps et les âmes des blessés.

Bien des soldats passèrent la fin de leurs jours à l'hôpital.

Pour tromper l'ennui, certains peignaient.

En arrière-plan, coquelicots sur les champs de bataille (nord de la France)

Souvenir
ne profusion de fleurs, dont les coquelicots rouges des Flandres, ussaient de part et d'autre du front ouest. Dans son poème *ans les champs des Flandres,* écrit après avoir soigné les soldats essés près d'Ypres en 1915, le médecin canadien John McCrae entionne cette fleur. Cela donna l'idée à la Légion anglaise vendre des coquelicots en papier au bénéfice des blessés guerre et à la mémoire des disparus. En France, les bleuets vinrent le symbole du sacrifice des soldats.

Les mémoriaux de guerre
Tout le long du front ouest se dressent des cimetières et des mémoriaux en souvenir de toutes ces vies fauchées par la guerre. A Verdun, l'ossuaire de Douaumont (ci-dessous) renferme les restes de 130000 soldats français et allemands. Dans la seule vallée de la Somme, on compte 410 cimetières britanniques. Partout à l'arrière, des villages français aux villages australiens, les monuments aux morts rappellent le drame de la guerre.

Croix de fer prussienne

Victoria Cross

Les distinctions honorifiques
Chaque nation combattante récompensa les actes de bravoure par des décorations militaires et civiles. Cinq millions de Croix de fer furent décernées à des soldats allemands et à leurs alliés. La France octroya plus de deux millions de Croix de guerre. En Angleterre, 576 Victoria Cross, distinction suprême, furent décernées à des soldats britanniques ou de l'Empire.

Croix de guerre française

LE SAVIEZ-VOUS ?

DES INFORMATIONS ÉTONNANTES

Le matin du 1er juillet 1916, les Alliés entamèrent leur offensive dans la Somme. Le barrage de l'artillerie qui avait précédé avait duré une semaine. Certaines personnes résidant sur la côte sud de l'Angleterre avaient entendu des mines exploser.

Chaque soldat britannique recevait une paire de chaussures qu'il devait porter tout le temps de la guerre. Depuis la bataille de la Somme, il avait aussi droit à un casque personnel. Les équipements spéciaux constituaient des affaires communes que les unités se passaient. Au fur et à mesure, les uniformes étaient très abîmés.

Les vêtements de l'armée britannique, de gauche à droite : manteau chaud destiné aux conducteurs ; combinaison pour les hommes qui maniaient des lance-flammes ; tenue de camouflage d'hiver pour les raids dans les tranchées et uniforme de pilote

Ce sont les Allemands qui utilisèrent pour la première fois des lance-flammes. Les flammes atteignaient jusqu'à 40 m.

La Russie était la nation possédant la plus grande armée. Ses troupes comptaient 12 millions d'hommes. Un nombre immense furent tués, blessés ou portés disparus.

Au départ, les chars britanniques étaient divisés en deux catégories : les « mâles » et les « femelles ». Les premiers étaient équipés de canons, les seconds de mitrailleuses lourdes.

« Little Willie », le premier prototype de char anglais, fut construit en 1915. Il pouvait atteindre la vitesse maximale de 4,8 km/h et son équipage se composait de 3 personnes.

Les sapeurs posaient des mines sur le front ouest. Des combats se déclenchaient parfois lorsqu'ils pénétraient par erreur dans les tunnels de l'ennemi.

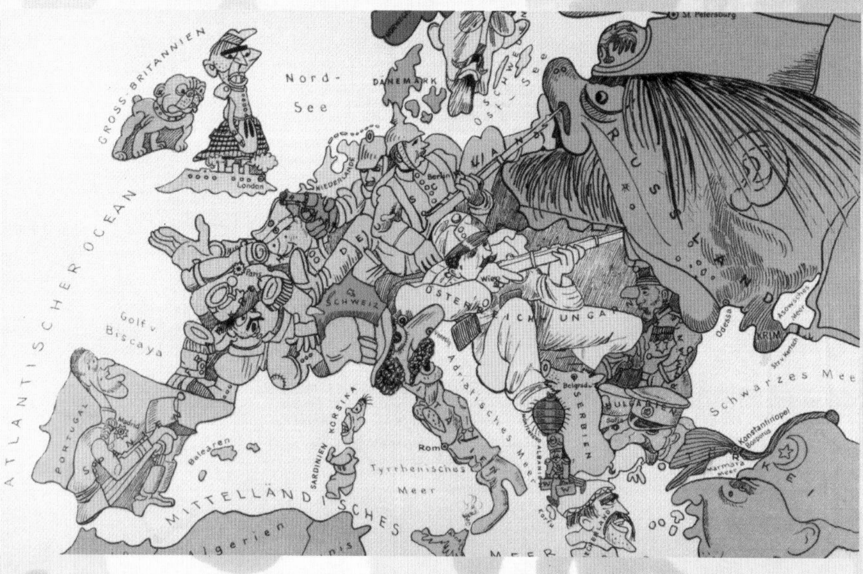

Carte de l'Europe par Walter Trier (1914)

La nourriture était préparée dans des cuisines roulantes qui pouvaient se trouver à plusieurs kilomètres de la ligne de front. C'étaient des personnes circulant à pied qui l'acheminaient car il était impossible de faire passer des moyens de transport par les tranchées.

Personne remplissant une Thermos pour que la nourriture reste chaude

Né à Prague, Walter Trier (1890-1951) était caricaturiste. Un de ses dessins célèbres représente l'Europe, en 1914, à la veille de la Première Guerre mondiale, sous la forme des dirigeants des diverses puissances occupés à se chamailler et à se menacer.

La « Piscine de la Paix » est un lac de 12 m de profondeur situé près de Messines en Belgique à l'endroit où, en 1917, les Anglais firent exploser une mine contenant 40 t d'explosifs, ce qui entraîna la formation d'un énorme cratère.

Certains soldats portaient des passe-montagne pour résister au froid de l'hiver. Ces cagoules sont apparues lors de la bataille de Balaklava, qui opposa les troupes russes aux forces britanniques durant la guerre de Crimée (1854).

« Chien de guerre » utilisé par les Allemands pour poser des fils télégraphiques

Les « chiens de guerre » transportaient des messages placés dans des capsules fixées à leur corps par des courroies jusqu'à la ligne de front. Certains étaient entraînés à poser des fils télégraphiques pour améliorer les services de communication !

Camouflage moderne

Qu'est-ce que la « Bertha » ?

La « Bertha » est un obusier, qui fut utilisé par les Allemands durant la Première Guerre mondiale. Son concepteur, Gustav Krupp, lui donna le nom de sa fille. La « Bertha » était plus mobile que l'obusier de 420 mm qui existait auparavant. Cependant, il fallait au moins six heures à 200 hommes pour l'assembler. C'était une arme formidable qui pouvait envoyer les obus très loin. Ce sont ses obus tirés depuis la forêt de Saint-Gobain qui tombèrent sur l'église Saint-Gervais à Paris en 1918.

Pourquoi les soldats avaient-ils des animaux avec eux ?

La plupart des animaux qui accompagnaient l'armée avaient une utilité. Les mules, les chevaux et les chameaux servaient d'animaux de charge pour transporter le matériel lourd. Les « chiens de guerre » et les pigeons jouaient le rôle de messagers. A l'écart de la ligne de front, certains soldats gardaient des animaux

Soldats avec des lapins et des poules

avec eux pour se nourrir. Les lapins étaient élevés pour être mangés et les poules, pour leurs œufs. Toutefois, certains animaux n'avaient d'autre rôle que celui de remonter le moral des troupes, notamment les chiens. Un groupe de soldats d'Afrique du Sud avait même un impala pour mascotte !

Comment faisaient les soldats pour se camoufler ?

La Première Guerre mondiale fut le premier conflit majeur au cours duquel les soldats eurent recours au camouflage. Ils portaient des uniformes kaki qui se confondaient avec leur environnement. Certains tireurs isolés se confectionnèrent des habits dans de la toile d'emballage peinte. Les casques étaient souvent recouverts de peinture mate mélangée à du sable ou de la sciure pour ne pas réfléchir la lumière. Ils étaient parfois aussi maculés de boue ou dissimulés sous de la toile de sacs de sable. Les soldats utilisaient également des bâches en toile grossière ou des filets pour cacher leur équipement afin que les patrouilles de reconnaissance aériennes ne le repèrent pas. Cependant, il existait aussi d'autres moyens de camouflage. Les motifs présents sur les coques des navires de guerre avaient pour but d'induire l'ennemi en erreur, de même que les rayures du zèbre désorientent parfois le lion.

Comment les soldats savaient-ils à quel moment mettre leur masque à gaz ?

Des soldats étaient chargés de faire le guet nuit et jour. Ces sentinelles utilisaient tout ce qu'elles trouvaient pour sonner l'alarme, notamment des cloches, des crécelles ou des sifflets, ou bien se servaient de leur voix. Quand les soldats entendaient ce signal, ils se dépêchaient de mettre leur masque avant que les gaz mortels n'atteignent leur tranchée.

Pourquoi les chars sont-ils aussi appelés des tanks ?

Le char est une invention britannique. Il fut d'abord appelé un « vaisseau terrestre », puis les Britanniques décidèrent qu'en raison de sa forme rectangulaire l'engin pourrait peut-être passer pour un réservoir, autrement dit un « tank » en anglais. Au départ, ils parlèrent aussi de transporteur d'eau ou « water carrier » mais une personne ayant fait remarquer que l'abréviation du mot était « W C », ils préférèrent finalement adopter le terme de tank.

La sentinelle porte un masque pour se protéger en cas d'attaque au gaz.

Cloche métallique servant à sonner l'alarme

Sentinelle en faction

LES PERSONNAGES ET LES LIEUX IMPORTANTS

Nous ne pouvons citer toutes les figures historiques qui jouèrent un rôle important dans le déroulement de la Première Guerre mondiale. Vous trouverez cependant les noms de quelques-unes d'entre elles ci-après, ainsi qu'une liste des sites où eurent lieu les principales batailles.

Le général Joffre — *Le roi de Grande-Bretagne, George V* — *Le général Foch*

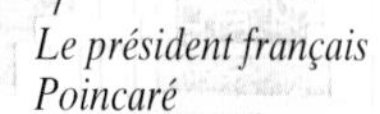

Le président français Poincaré — *Le general sir Douglas Haig*

LES FIGURES HISTORIQUES IMPORTANTES

Le général russe Broussilov

ALEXEÏ BROUSSILOV (1853-1926)
En 1916, le général Broussilov lança contre les Austro-Hongrois l'offensive qui porte son nom afin de briser leurs lignes. Il prit le commandement des armées russes sur le front est, en 1917.

LUIGI CADORNA (1850-1928)
Le général Luigi Cadorna était à la tête de l'armée italienne. Il reprit Gorizia (Italie) en 1916.

FERDINAND FOCH (1851-1929)
En 1917, ce brillant spécialiste français de l'artillerie devint chef d'état-major général et, en 1918, il fut le généralissime des forces alliées.

ANTHONY FOKKER (1890-1939)
Le constructeur néerlandais Anthony Fokker mit au point le premier chasseur doté d'une mitrailleuse synchronisée placée à l'avant. Son Fokker Eindecker donna l'avantage à l'Allemagne au début de la guerre. Fokker conçut 40 avions différents au cours de la Grande Guerre.

RENÉ FONCK (1894-1953)
Le Français René Fonck fut le pilote de chasse des troupes alliées le plus couronné de succès. Il abattit 75 avions ennemis.

DOUGLAS HAIG (1861-1928)
C'était le général en charge des troupes britanniques sur le front ouest. Il déclencha les offensives de la Somme et de Passendale, ainsi que la dernière offensive victorieuse des Alliés.

PAUL VON HINDENBURG (1847-1934)
Au début de la guerre, il combattit avec succès les Russes. En 1916, il fut nommé chef d'état-major des forces allemandes terrestres. Sa ligne Hindenburg, créée en 1917, résista aux attaques jusqu'en 1918.

JOSEPH JOFFRE (1852-1931)
Lorsque la guerre éclata, il devint commandant des armées de l'est et du nord de la France et dut subir de lourdes pertes. Mais il remporta la victoire de la Marne (septembre 1914). Il fut cependant remplacé en 1916.

T. E. LAWRENCE (1888-1935)
Plus connu sous le nom de Lawrence d'Arabie, T. E. Lawrence travailla pour les services de renseignements des forces alliées au Moyen-Orient. Il fut à la tête de la révolte des Arabes contre les Turcs, dont il parla dans son livre, *Les Sept Piliers de la sagesse.*

Le battement de l'hélice et les tirs de mitrailleuse étaient synchronisés.

Anthony Fokker à côté de son Fokker D1

RITTMEISTER VON RICHTHOFEN (1892-1918)
Surnommé le « Baron rouge », cet aviateur allemand abattit 80 avions alliés, faisant mieux que tous les autres pilotes de la Première Guerre mondiale. Il fut défait près d'Amiens.

MAXIMILIAN VON SPEE (1861-1914)
Cet amiral allemand coula deux croiseurs britanniques non loin du Chili. Il mourut à bord de son propre navire, le *Scharnhorst,* lorsque ce dernier sombra près des îles Malouines.

GABRIEL VOISIN (1880-1973)
Constructeur d'avions, le Français Gabriel Voisin est célèbre pour son Voisin III (le premier avion allié à avoir abattu un engin ennemi) et son bombardier Voisin V, muni d'un canon.

MARGARETHA ZELLE (1876-1917)
D'origine néerlandaise, Margaretha Zelle est plus connue sous le nom de Mata Hari. Elle a toujours nié être un agent double, mais il est fort possible qu'elle ait été l'espionne des Français et des Allemands en même temps. Elle fut exécutée par les Français en 1917.

Le constructeur d'avions Gabriel Voisin (à droite)

Les principales batailles

Chars traversant Meaulte pendant l'offensive d'Amiens

Amiens

En août 1918, le général Rawlinson lança l'offensive alliée qui permit de reprendre Amiens. Le premier jour, les Alliés progressèrent de 12 km.

Cambrai

Le général Douglas Haig prit les Allemands par surprise en novembre 1917 lors de l'attaque de Cambrai. Au début, les Alliés avancèrent beaucoup, mais en une nuit les Allemands regagnèrent leurs positions. Les Britanniques perdirent environ 45 000 hommes, les Allemands 50 000.

Gaza

En mars 1917, le général Dobell lança les troupes britanniques par surprise à l'assaut de Gaza, alors aux mains des Turcs. Ils ne prirent la ville qu'en novembre après avoir affaibli les défenses turques en les bombardant depuis des navires de guerre situés non loin des côtes.

Poste de secours britannique à Cambrai

La baie d'Heligoland

En août 1914, 2 croiseurs légers et 25 destroyers britanniques attaquèrent des navires allemands près de la base navale d'Heligoland dans la mer du Nord. Une bataille s'ensuivit.

Jutland

La plus grande bataille navale de la guerre se déroula près de la côte danoise du Jutland en mai 1916. Les Allemands infligèrent aux Britanniques de plus lourdes pertes qu'ils n'en subirent eux-mêmes ; mais les Britanniques réussirent à garder le contrôle de la mer du Nord et à prolonger le blocus.

La retraite de Mons (1927) d'Elisabeth Butler

Mons

Le corps expéditionnaire britannique affronta l'armée allemande à Mons, en août 1914. Bien que les Allemands aient subi de lourdes pertes, ils parvinrent à repousser les Britanniques.

Passendale

La bataille de Passendale, en Belgique, débuta en juillet 1917. Pendant dix jours les troupes alliées bombardèrent les Allemands. Puis, elles avancèrent, mais furent ralenties par des pluies torrentielles. Elles finirent par prendre Passendale en novembre.

Somme

La bataille de la Somme, commença en juillet 1916. Le premier jour, les Britanniques perdirent 58 000 hommes, tués ou blessés. Les Alliés poursuivirent malgré tout leur offensive jusqu'au mois de novembre. La bataille coûta 320 000 hommes aux Alliés, 300 000 hommes aux Allemands.

Verdun

Les Allemands attaquèrent la ville de garnison de Verdun en février 1916. Leur avance fut arrêtée au bout d'une semaine, mais on prit et reprit des mètres de terrain. La bataille dura dix mois, causant la mort de près de 500 000 personnes.

Vittorio Veneto

Cette offensive, qui compte parmi les dernières de la guerre, permit aux troupes italiennes de reprendre Vittorio Veneto le 27 octobre 1918.

Ypres

La ville belge d'Ypres fut prise par les Allemands en août 1914, mais les Britanniques la reconquirent en octobre. Au cours de la contre-attaque allemande, les forces armées britanniques furent décimées. Une seconde bataille eut lieu à Ypres en avril et en mai 1915, et une troisième à Passendale en 1917.

Cuisine roulante britannique dans la Somme en 1916

POUR EN SAVOIR PLUS

Il existe plusieurs façons d'en savoir plus sur la Première Guerre mondiale. Vous pouvez interroger les membres les plus âgés de votre famille. Vous trouverez également des témoignages sur Internet, ainsi que beaucoup d'autres informations. Rendez-vous à la bibliothèque pour chercher des livres spécialisés sur ce sujet et visitez les musées consacrés à la guerre. Outre d'immenses collections d'objets, ces derniers exposent des reproductions de scènes de bataille. Les documentaires télévisés font eux aussi revivre la guerre au moyen de séquences réelles ou de reconstitutions. Enfin, les vieux films de guerre vous donneront une idée de la vie à cette époque.

En Grande-Bretagne, le coquelicot est la fleur du souvenir.

LE JOUR DE L'ARMISTICE
Chacun de nous peut participer à la commémoration des sacrifices des soldats et des civils pendant la Première Guerre mondiale. Chaque année, le 11 novembre, des cérémonies sont organisées en mémoire des disparus.

LE MUSÉE DES CHARS
Les amateurs de véhicules à chenilles peuvent se rendre à Bovington, dans le Dorset, en Angleterre, pour admirer la plus grande collection de chars. Le premier prototype, « Little Willie », constitue la principale attraction. Le musée propose également tout un ensemble de manifestations.

L'ARC DE TRIOMPHE
A l'origine Napoléon l'érigea pour célébrer les victoires de ses armées, mais aujourd'hui l'Arc de triomphe, à Paris, est un monument à la mémoire des millions de soldats tués pendant les guerres. Chaque jour, la Flamme du Souvenir y est rallumée. En novembre 1920, le corps d'un soldat inconnu y fut inhumé, symbolisant le courage des soldats morts pendant la Grande Guerre.

Chaque année, le 11 novembre, le drapeau tricolore est hissé sur l'Arc de triomphe.

Vétéran de l'Anzac portant des médailles et des décorations militaires

ANZAC DAY (LE JOUR DE L'ANZAC)
Si vous vous trouvez en Australie ou en Nouvelle-Zélande le 25 avril, vous pourrez assister aux cérémonies et défilés organisés pour célébrer la mémoire des milliers d'Australiens et de Néo-Zélandais qui combattirent lors de la bataille de Gallipoli en Turquie.

ES FILMS DE GUERRE
es événements de la Première
uerre mondiale ont donné lieu
un grand nombre d'excellents
ms. Ceux-ci ne reposent pas
ujours sur des faits véridiques,
ais ils constituent une façon
téressante de glaner des
formations sur cette époque.
awrence d'Arabie (1962) réalisé
ar David Lean compte parmi les
eilleurs. C'est Peter O'Toole
:i-dessus) qui joue le rôle principal.

Quelques sites internet

• Ce site présente une chronologie illustrée de la Grande Guerre, des témoignages et des dossiers thématiques sur les armes et les uniformes, les tranchées, l'aviation et les chansons de la guerre. www.geocities.com/athens/agora/3806/choix.htm
• Des textes et des lettres témoignent de la vie dans les tranchées « pour ne pas oublier comment les dirigeants, les stratèges poussèrent de simples citoyens dans une effroyable boucherie en leur ouvrant les portes de l'enfer. » membres.lycos.fr/greatwar/
• La Première Guerre mondiale vue par les peintres qui la vécurent. www.art-ww1.com/fr/visite.html

Des lieux à visiter

MÉMORIAL DE VERDUN
Le Mémorial présente :
• une reconstitution d'une partie du champ de bataille ;
• un film qui illustre les conditions de vie effroyables des combattants des deux camps sur le champ de bataille ;
• des diaporamas, les matériels français et allemands, les équipements des combattants et leur évolution, des maquettes, des cartes.
• 1, avenue du Corps-Européen
55100 Fleury-devant-Douaumont
tél. 03 29 84 35 34
• www.memorial-14-18.com/

OSSUAIRE DE DOUAUMONT
Spectacle audiovisuel sur le thème de la vie des combattants pendant la bataille de Verdun.
• 55100 Douaumont
Tél. : 03 29 84 54 81
• www.verdun-douaumont.com/

HISTORIAL DE LA GRANDE GUERRE, CHÂTEAU DE PÉRONNE
Vous y trouverez :
• une exposition et des milliers d'objets qui montrent comment combattants et civils ont vécu et souffert pendant cette guerre ;
• une collection d'œuvres réalisées par l'artiste allemand Otto Dix et d'autres artistes ;
• un « circuit du souvenir » de 60 km permettant de visiter les sites des batailles importantes qui eurent lieu dans le nord de la France et les monuments commémoratifs.
• BP 63 - 80201 Péronne Cedex
tél. 03 22 83 14 18
• www.historial.org/

Mannequin grandeur nature d'un médecin militaire soignant un blessé

IMPERIAL WAR MUSEUM
Cette reconstitution fait partie de l'exposition intitulée « La vie dans les tranchées » proposée par l'Imperial War Museum de Londres.

Cette sculpture montre des parents pleurant leur fils mort au combat.

MONUMENT DE GUERRE
De nombreux artistes et écrivains furent horrifiés et émus par la guerre, leur œuvre en témoigne. L'artiste allemande Kathe Kollwitz (1867-1945) réalisa cette statue pour le cimetière militaire allemand de Roggevelde en Belgique, où son fils Peter est inhumé.

GLOSSAIRE

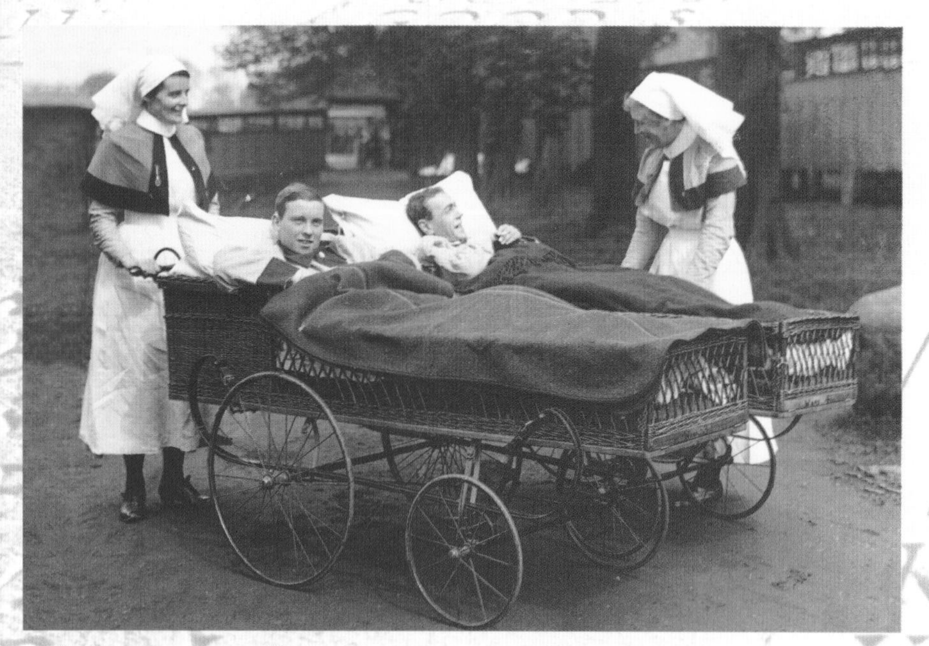

Infirmières promenant les soldats convalescents dans le parc de l'hôpital

ABDIQUER Abandonner le pouvoir.

ALLIANCE Union de deux ou plusieurs puissances qui s'engagent à coopérer en cas de guerre.

ALTITUDE Elévation verticale d'un point par rapport au niveau de la mer.

AMPUTATION Ablation chirurgicale d'un organe ou d'un membre, un bras ou une jambe par exemple.

ARMISTICE Convention marquant la fin des hostilités. En France, l'anniversaire de l'armistice est fêté le 11 novembre.

ARSENAL Dépôt et/ou lieu de fabrication d'armes ou de munitions.

ARTILLERIE Armes lourdes (canons, obusiers).

ASSASSINAT Meurtre commis avec préméditation.

BAÏONNETTE Lame effilée qui s'ajuste au canon d'un fusil ou d'une autre arme à feu et dont on peut se servir pour transpercer l'ennemi lors d'un combat au corps à corps.

BANDE MOLLETIÈRE Bande de tissu enroulée autour du mollet.

BARRAGE ROULANT Rideau de feu établi par les tirs fournis de l'artillerie, juste avant une attaque d'infanterie.

BATTERIE Emplacement destiné à recevoir les pièces d'artillerie et le matériel indispensable à leur service.

BUNKER Abri souterrain en béton pour se protéger des bombes.

CAMOUFLAGE Action consistant à modifier l'apparence d'un objet ou d'une personne pour qu'ils passent inaperçus. Pendant la Première Guerre mondiale, le camouflage était surtout utilisé pour dissimuler le matériel de guerre. Certains soldats se noircissaient le visage pour ne pas se faire repérer lors des patrouilles de nuit. De grands artistes ont peint des camouflages.

CAVALERIE A l'origine, il s'agissait d'un corps de l'armée constitué de troupes à cheval. Aujourd'hui, la cavalerie est motorisée.

CHARGEUR Dispositif servant à introduire plusieurs cartouches dans le magasin d'une arme à répétition.

COLONIE Dépendance ou territoire placés sous la souveraineté d'un pays étranger.

COMMOTION Violent ébranlement de l'organisme ou traumatisme psychique provoqués par un choc, ici à la suite d'éclatements d'obus notamment, lors des combats.

CONSCRIPTION Enrôlement dans l'armée des jeunes gens atteignant l'âge légal pour le service militaire.

Respirateur à petit réservoir

CONVALESCENT Personne qui se remet lentement après une blessure ou une maladie sérieuse.

CONVOI Ensemble de voitures militaires ou de navires faisant route sous la protection d'une escorte.

CORNED-BEEF Viande de bœuf en conserve.

COURSE AUX ARMEMENTS Concurrence que se livrent certains pays en vue de créer le plus grand nombre d'armes et du matériel de guerre.

CRYPTOGRAPHIE Etude ou création de codes graphiques secrets.

DYSENTERIE Infection intestinale qui se caractérise par des diarrhées graves.

ENDÉMIQUE Qui sévit dans un milieu précis ou dans une population spécifique, de façon récurrente.

ENRÔLER Engager une personne dans l'armée.

ENTENTE Collaboration amicale ou alliance informelle entre des nations.

Officier de renseignement étudiant des vues aériennes de tranchées ennemies

ÉVACUATION Action de déplacer des populations en danger.

FLOTTILLE Réunion de petits navires.

FORCES DE RÉSERVE Ensemble de citoyens qui ont suivi un entraînement militaire et qui sont disponibles en cas de mobilisation.

FORCES RÉGULIÈRES Troupes engagées soumises à des règles strictes.

FUSELAGE Corps d'un avion.

FUSIL Arme à feu portative munie d'un long canon et permettant de tirer à hauteur de l'épaule.

GAMELLE Récipient métallique utilisé par les soldats pour manger.

TOGETHER WE WIN
UNITED STATES SHIPPING BOARD EMERGENCY FLEET CORPORATION

Affiche de propagande américaine

GAZ En temps de guerre, le terme de gaz désigne une substance chimique toxique destinée à faire suffoquer, à aveugler ou à tuer l'ennemi.

GRENADE Explosif que l'on peut lancer à la main.

GUÉRILLA Guerre menée par de petits groupes de combattants et se caractérisant par des opérations de sabotage ou des attaques éclair. Le terme de « guérilla » vient de l'espagnol.

GUERRE D'USURE Fait d'attaquer continuellement l'ennemi pour l'épuiser.

Mitrailleuse britannique Maxim Mark III 7,7 mm mise au point vers 1902

HYDRAVION Avion doté de flotteurs ou de skis pouvant se poser et décoller sur terre et sur mer.

INCENDIAIRE Ce terme est employé pour décrire des balles ou des bombes causant des incendies.

INFANTERIE Soldats combattant à pied.

INTERROGATOIRE Ensemble de questions posées à quelqu'un pour lui soutirer une information.

LIGNE DE FRONT Limite qui sépare des forces ennemies et où la bataille fait rage.

MÉDECIN MILITAIRE Médecin des forces armées.

MINE Charge explosive que les sapeurs plaçaient sous les lignes ennemies.

MITRAILLEUSE Arme automatique à tir rapide.

MOBILISATION Préparation visant à mettre des troupes sur le pied de guerre.

MORSE Code dans lequel chaque lettre de l'alphabet est représentée par une séquence de points et de traits ou par des signaux lumineux ou sonores longs ou courts. Il porte le nom de son inventeur Samuel Morse (1791-1872).

MUNITIONS Balles et obus utilisés pour charger une arme à feu.

NEUTRALITÉ Etat de celui qui ne prend pas partie.

NŒUD Unité utilisée pour mesurer la vitesse des navires. Un nœud correspond à 1,85 km/h.

NO MAN'S LAND Zone comprise entre les premières lignes des forces ennemies, parfois très proches.

NON-COMBATTANT Dans une armée, personne qui ne prend pas part aux combats, par exemple un aumônier ou un médecin militaire.

OBJECTEUR DE CONSCIENCE Personne qui refuse de combattre pour des raisons morales.

OBUS Projectile rempli d'explosifs, tiré par une arme à feu comme un canon.

OBUSIER Arme à feu destinée à lancer des obus.

PÉRISCOPE Instrument muni de miroirs permettant à son utilisateur de voir des objets qui ne sont pas dans sa ligne de mire.

PIQUET Pièce métallique enfoncée dans le sol et utilisée pour fixer un réseau de barbelés destiné à renforcer les tranchées proches de la ligne de front.

Périscope allemand stéréoscopique

POSITION DE TIR Emplacement d'où les soldats tirent.

POSTHUME Qui intervient après la mort.

PROPAGANDE Information dans le but d'imposer à des personnes un certain point de vue. La propagande peut prendre la forme d'affiches, de tracts, de films.

RECONNAISSANCE Mission visant à recueillir des informations sur une zone.

RECRUE Personne qui vient d'être enrôlée dans l'armée.

RENSEIGNEMENTS Informations militaires ou politiques utiles ayant trait à l'ennemi.

RESPIRATEUR Masque qui filtre l'air afin qu'une personne ne respire pas de gaz toxiques.

SHRAPNEL Obus rempli de petites balles sphériques souvent de plomb qu'il projette de toutes parts en éclatant. Il s'agit d'une arme à feu antipersonnel.

STICK Plaque métallique utilisée pour faire briller les boutons des uniformes sans tacher ces derniers.

TÉLÉGRAPHE Appareil de communication transmettant des messages le long d'un fil au moyen de signaux électriques.

TÉLÉGRAPHIE SANS FIL Système de communication permettant d'envoyer des messages sous la forme de signaux radio.

TERRORISTE Personne qui commet des actions violentes pour attirer l'attention sur ses intentions politiques.

TITRE D'EMPRUNT DE GUERRE Document délivré par un Etat en échange d'un investissement sous forme d'argent. Les sommes réunies servent à financer les efforts de guerre. L'emprunt est ensuite remboursé avec un intérêt.

TORPILLE Engin explosif utilisé sous l'eau et lancé depuis un navire ou un sous-marin.

TRANCHÉE Fosse creusée par les soldats pour se protéger ; devenue le symbole de la Grande Guerre.

TRÊVE Cessation temporaire des combats.

« U-BOOT » Sous-marin en allemand.

ULTIMATUM Exigence qui, si elle n'est pas suivie d'effets, peut entraîner une rupture des communications entre diverses puissances.

INDEX

REMERCIEMENTS

L'auteur et Dorling Kindersley tiennent à remercier : Elizabeth Elizabeth Bowers, Christopher Dowling, Mark Pindelski et l'équipe des archives photographiques de l'Imperial War Museum pour leur aide ; section des droits, Kings Own Royal Horse Artillery pour la démonstration p. 10.

ICONOGRAPHIE

h = haut, b = bas, c = centre, g = gauche, d = droite

AKG London : 6l, 7cdb, 36bd, 37bg, 38cg, 38bg, 41hd, 42c, 42bg, 43bf, 38cg, 38bg, 41hd, 42c, 42bg, 43bd, 52cg, 58-59h, 60c. Bovington Tank Museum : 68ch. Bridgeman Art Library, London/New York : © Royal Hospital Chelsea, London, UK 67hd. Corbis : 2hd, 6hd, 7hd, 20hd, 22hd, 31hd ; Bettmann 8hd, 26-27, 44-45c, 49bg, 55hd, 35bc, 49hg, 54bd, 55h, 55bd, 58-59, 61cd, 69bd ; Randy Faris 64-65 ; Christel Gerstenberg 64hd ; Dallas and John Heaton 68bg ; Dave G. Houser 41cd ; © Hulton-Deutsch Collection 66bd ; Michael St Maur Sheil 70-71 (arrière-plan) ; Swim Ink 71tl. DK Picture Library : Andrew L. Chernack, Springfield, Pennsylvania : 3hd, 55hd ; Imperial War Museum 2cd, 13cg, 20bg, 20bd, 27bc, 28cg, 41c, 50bc, 51c, 70bc, 71hd, 71bg, 71bd ; National Army Museum : 44bg ; RAF Museum, Hendon : 34cgh, 34cg ; Spink and Son Ltd : 3hg, 4hd, 43bc. Robert Harding Picture Library : 63c. Heeresgeschichtliches Museum, Wien : 8bg. Hulton Getty : 14hg 17hg, 19bd, 21bg, 33hd, 32-33b, 35cgb, 36cdh, 41c, 43h, 47cdh, 50cgb, 51cg, 58hg, 60hg, 60b, 61hd, 61b ; Topical Press Agency 50cg. Imperial War Museum : 2hg, 8hg (HU68062), 9bg (Q81763), 11hd (Q70075), 10-11h (Q70232), 12chb (32002), 14bc (Q42033), 15hd (Cat. No. 0544), 15cd (Q823), 16c (Q57228), 16b (Q193), 17bd (E(AUS)577), 18hd (CO2533), 18cg (Q2953), 18cd (IWM90/62/6), 18bd (IWM90/62/4), The Menin Road by Paul Nash 19hd (Cat. No. 2242), 19cgh, 19cd, 19cgb (Q872), 21tc (IWM90/62/5), 21hd (IWM90/62/3), 22bch, 22bg (CO1414), 23h (Q1462), 23bd (Q8477), 24hg (Q54985), 24c, 26bg (Q104), 27hg (E921), 26-27b (Q3214), 28cd, 29hd (Q1561), 29bd (Q739), 28-29b (Q53), 30hd (Q1778), 30cg (Q2628), 31bd (Q4502), 32g, 32c (Q8537), 33hg (Q30678), 33hd (1646), 33cd (Q19134), 35cb (Q42284), 35bg (Q69593), 34-35c, 36cgb, 37 (Q27488), 38hg, 38hd (PST0515), 39cd (Q20883), 39bd (Q63698), 40cg (Q13618), 40bd (Q13281), 41hg (Q13603), 41b (Q13637), 45bd (Q55085), Gassed by John Singer Sargent 44-45b (1460), 48cd (Q60212), 48bg, 51hd (Q26945), 52bg (Q9364), 53cd (Q6434), 53bd (Q9364), 54hg (2747), Sappers at Work by David Bomberg 56cg (2708), 57hd (E(AUS)1396), 57cd (Q5935), 56-57c (Q754), 56-57b (Q2708), 58b (Q10810), 59hd (Q9534), 59b (Q9586), The Signing of Peace in the Hall of Mirrors, Versailles by Sir William Orpen 61hg (2856), 62hg (Q2756), 62c (Q1540), 64cgh (Q30788), 64cdb (Q50671), 64bc (Q4834), 65cgb (Q10956), 65bd (Q609), 66hd (Q949), 66cgh (Q54534), 66bg (Q66377), 67hg (Q7302), 67cgb (Q9631), 67bd (Q1582), 69bg (IWM 90-62-3), 70hg (Q27814), 70cd (Q26946) ; David King Collection : 46bg, 47hg, 58cgh. Kobal Collection : Columbia 69hg. National Gallery of Canada, Ottawa : Transfer from the Canadian War Memorials, Dazzle ships in dry dock at Liverpool, 1921 by Edward Wadsworth 39hg. Peter Newark's Military Pictures : 13hc, 42hd. Pa Photos : European Press Agency 65h. Popperfoto : Reuters 68bd. Roger-Viollet : 9hd, 9cd, 11bd, 13cd, 19hg ; Boyer 17bg. Telegraph Colour Library : J.P. Fruchet 62c. Topham Picturepoint : 42hg, 46hg, 47bd, 46-47b, 62b ; ASAP 43cg. Ullstein Bild : 8-9c, 46hd. © Dorling Kindersley pour les autres documents.

Couverture : D. R. pour tous les documents. Avion sur 1er plat : copyright Reeve Photography/IWM, Londres.